Александр Волков

УРФИН ДЖЮС
И ЕГО
ДеРевянные
Солдаты

Иллюстрации Владимира Канивца

#эксмодетство
Москва
2020

УДК 821.161.1-053.2
ББК 84(2Рос=Рус)6-44
  В67

Волков, Александр Мелентьевич.

В67   Урфин Джюс и его деревянные солдаты / Александр Волков ; ил. Владимира Канивца. — Москва : Эксмо, 2020. — 224 с. : ил. — (Волшебник Изумрудного города).

УДК 821.161.1-053.2
ББК 84(2Рос=Рус)6-44

ISBN 978-5-699-50584-5

ОДИНОКИЙ СТОЛЯР

Юго-запад Волшебной страны населяли Жевуны — робкие и милые человечки, у которых взрослый мужчина ростом не превышал восьмилетнего мальчика из тех краёв, где люди не знают чудес.

Повелительницей Голубой страны Жевунов была Гингема, злая волшебница, обитавшая в глубокой тёмной пещере, к которой Жевуны боялись приближаться. Но среди них, ко всеобщему удивлению, нашёлся человек, построивший себе дом неподалёку от жилища колдуньи. Это был некий Урфин Джюс.

От своих добрых, мягкосердечных соплеменников Урфин ещё в детстве отличался сварливым характером. Он редко играл с ребятами, а если вступал в игру, то требовал, чтобы все ему подчинялись. И обычно игра с его участием оканчивалась дракой.

Родители Урфина умерли рано, и мальчика взял в ученики столяр, живший в деревеньке Когида. Подрастая, Урфин становился всё неуживчивее и, когда изучил столярное ремесло, без сожаления покинул своего воспитателя, даже не поблагодарив его за науку. Однако добрый ремесленник дал ему инструменты и всё необходимое для начала работы.

Урфин стал искусным столяром, он мастерил столы, скамейки, сельскохозяйственные орудия и многое другое. Но, как это ни странно, злобный и сварливый характер мастера передавался его изделиям. Сделанные им вилы старались боднуть своего владельца в бок, лопаты колотили по лбу, грабли норовили зацепить за ноги и опрокинуть.

Урфин Джюс лишился покупателей.

Он стал делать игрушки. Но у вырезанных им зайцев, медведей и оленей были такие свирепые морды, что дети, взглянув на них, пугались и потом плакали всю ночь. Игрушки пылились в чулане Урфина, никто их не покупал.

Урфин Джюс разозлился, забросил привычное ремесло и перестал показываться в деревне. Он стал жить плодами своего огорода.

Одинокий столяр так ненавидел своих сородичей, что старался ни в чём не походить на них. Жевуны жили в круглых домиках голубого цвета с остроконечными крышами и с хрустальными шариками наверху. Урфин Джюс построил себе четырёхугольный дом, выкрасил его в коричневый цвет, а на крышу посадил чучело орла.

Жевуны носили голубые кафтаны и голубые ботфорты, а кафтан и ботфорты Урфина были зелёного цвета. У Жевунов шляпы были остроконечными, с широкими полями, а под полями болтались серебряные бубенчики. Урфин Джюс терпеть не мог бубенчиков и ходил в шляпе без полей. Мягкосердечные Жевуны плакали при всяком случае, а в мрачных глазах Урфина никто никогда не видел слезинки.

Жевуны получили своё прозвище за то, что их челюсти постоянно двигались, как будто что-то пережёвывая. Была такая привычка и у Джюса, но он, хотя и с большим трудом, отделался от неё. Урфин по целым часам гляделся в зеркало и при первой же попытке своих челюстей приняться за жевание тотчас останавливал их.

Да, большая сила воли была у этого человека, только, к сожалению, он направлял её не на добро, а на зло.

* * *

Прошло несколько лет. Однажды Урфин Джюс явился к Гингеме и попросил старую колдунью взять его в услужение. Злая волшебница очень обрадовалась: в продолжение столетий ни один Жевун не вызывался добровольно служить Гингеме, и все её приказания исполнялись только под угрозой кары. Теперь у колдуньи появился помощник, с охотой исполнявший всевозможные поруче-

ния. И чем неприятнее были для Жевунов распоряжения Гингемы, тем с бо́льшим усердием передавал их Урфин. Угрюмому столяру особенно нравилось ходить по деревушкам Голубой страны и налагать на жителей дань — столько-то и столько змей, мышей, лягушек, пиявок и пауков.

Жевуны ужасно боялись змей, пауков и пиявок. Получив приказ собирать их, маленькие робкие человечки начинали рыдать. При этом они снимали шляпы и ставили их на землю, чтобы бубенчики своим звоном не мешали им плакать. А Урфин смотрел на слёзы своих сородичей и злобно хохотал. Потом в назначенный день являлся с большими корзинами, собирал дань и отвозил её в пещеру Гингемы. Там это добро либо шло в пищу колдунье, либо употреблялось на злые волшебства.

В тот день, когда домик Элли раздавил Гингему, Урфина не было возле колдуньи: он ушёл по её делам в отдалённую часть Голубой страны. Известие о гибели волшебницы вызвало у Джюса и огорчение, и радость. Он жалел, что потерял могущественную покровительницу, но рассчитывал воспользоваться теперь богатством и властью волшебницы.

В окрестностях пещеры было безлюдно. Элли с Тотошкой ушли в Изумрудный город.

У Джюса появилась мысль поселиться в пещере и объявить себя преемником Гингемы и повелителем Голубой страны — ведь робкие Жевуны не сумеют этому воспротивиться.

Но задымлённая пещера со связками копчёных мышей на гвоздиках, с чучелом крокодила под потолком и прочими принадлежностями волшебного ремесла выглядела такой сырой и мрачной, что даже Урфин содрогнулся.

— Брр!.. — пробормотал он. — Жить в этой могиле?.. Нет уж, благодарю покорно!

Урфин начал разыскивать серебряные башмачки колдуньи, так как знал, что Гингема дорожила ими больше всего. Но напрасно он обшаривал пещеру — башмачков не было.

— Ух-ух-ух! — насмешливо раздалось с высокого насеста, и Урфин вздрогнул.

Сверху на него смотрели глаза филина, светившиеся жёлтым светом во мраке пещеры.

— Это ты, Гуам?

— Не Гуам, а Гуамоколатокинт, — сварливо возразил тщеславный филин.

— А где другие филины?

— Улетели.

— Почему ты остался?

— А что мне делать в лесу? Ловить птиц, как простые филины и совы? Фи!.. Я слишком стар и мудр для такого хлопотливого занятия.

У Джюса мелькнула хитрая мысль.

10

— Послушай, Гуам... — Филин молчал... — Гуамоко... — Молчание. — Гуамоколатокинт!

— Слушаю тебя, — отозвался филин.

— Хочешь жить у меня? Я буду кормить тебя мышами и нежными птенчиками.

— Не даром, конечно? — буркнула мудрая птица.

— Люди, увидев, что ты мне служишь, посчитают меня волшебником.

— Неплохо придумано, — сказал филин. — И для начала моей службы скажу, что ты напрасно ищешь серебряные башмачки. Их унёс маленький зверёк неизвестной мне породы.

Зорко оглядев Урфина, филин спросил:

— А когда ты начнёшь есть лягушек и пиявок?

— Что? — удивился Урфин. — Есть пиявок? Зачем?

— Затем, что эта пища положена злым волшебникам по закону. Помнишь, как добросовестно Гингема ела мышей и закусывала пиявками?

Урфин вспомнил и содрогнулся: еда старой волшебницы всегда вызывала у него отвращение, и во время завтраков и обедов Гингемы он под каким-нибудь предлогом уходил из пещеры.

— Послушай, Гуамоко... Гуамоколатокинт, — заискивающе сказал он, — а нельзя ли обойтись без этого?

— Я тебе сказал, а дальше твоё дело, — сухо закончил разговор филин.

Урфин со вздохом собрал кое-какое имущество колдуньи, посадил филина на плечо и отправился домой.

Встречные Жевуны, завидев мрачного Урфина, испуганно шарахались в сторону.

Вернувшись к себе, Урфин зажил в своём доме с филином, не встречаясь с людьми, никого не любя, никем не любимый.

ЧУДЕСНЫЙ ПОРОШОК

НЕОБЫКНОВЕННОЕ РАСТЕНИЕ

Однажды вечером разразилась сильная буря. Думая, что эту бурю вызвал злой Урфин Джюс, Жевуны ёжились от страха и ждали, что их домики вот-вот рухнут.

Но ничего такого не случилось. Зато, встав утром и осматривая огород, Урфин Джюс увидел на грядке с салатом несколько ярко-зелёных росточков необычного вида. Очевидно, семена их были занесены в огород ураганом. Но из какой части страны они прилетели, навсегда осталось тайной.

— Давно ли я полол грядки, — проворчал Урфин Джюс, — и вот опять лезут эти сорняки. Ну, погодите, вечером я с вами расправлюсь.

Урфин отправился в лес, где у него были расставлены силки, и провёл там целый день. Тайком от Гуамоко он захватил с собой сковородку и масло, зажарил жирного кролика и с наслаждением съел.

Вернувшись домой, Джюс ахнул от удивления. На салатной грядке поднимались в рост человека мощные ярко-зелёные растения с продолговатыми мясистыми листьями.

— Вот так штука! — вскричал Урфин. — Эти сорняки не теряли времени!

Он подошёл к грядке и дёрнул одно из растений, чтобы вытащить его с корнем. Не тут-то было! Растение даже не поддалось, а Урфин Джюс занозил себе руки мелкими острыми колючками, покрывавшими ствол и листья.

Урфин рассердился, вытащил из ладоней колючки, надел кожаные рукавицы и вновь принялся тянуть растение из грядки. Но у него не хватило силы. Тогда Джюс вооружился топором и принялся рубить растения под корень.

«Хряк, хряк, хряк» — врубался топор в сочные стебли, и растения падали на землю.

— Так, так, так! — торжествовал Урфин Джюс. Он воевал с сорняками, как с живыми врагами.

Когда расправа была кончена, наступила ночь, и утомлённый Урфин пошёл спать.

На следующее утро он вышел на крыльцо, и волосы у него на голове стали дыбом от изумления.

И на салатной грядке, где остались корни неизвестных сорняков, и на гладко утоптанной дорожке, куда столяр оттащил срубленные стебли, — везде плотной стеной стояли высокие растения с ярко-зелёными мясистыми листьями.

— Ах, вы так! — злобно взревел Урфин Джюс и ринулся в бой.

Срубленные стебли и выкорчеванные корни столяр рубил в мелкие куски на чурбаке для колки дров.

В конце огорода, за деревьями, был пустырь. Туда Урфин Джюс таскал изрубленные в кашу растения и в гневе расшвыривал во все стороны.

Работа продолжалась целый день, но наконец огород был очищен от захватчиков, и усталый Урфин Джюс пошёл отдыхать. Спал он плохо: его мучили кошмары, ему чудилось, что неизвестные растения окружают его и стараются поранить колючками.

Встав на рассвете, столяр первым делом отправился на пустырь посмотреть, что там творится. Отворив калитку, он тихо охнул и бессильно опустился на землю, потрясённый тем, что увидел. Жизненная сила незнакомых растений оказалась необычайной. Неплодородная земля пустыря была сплошь покрыта молодой порослью.

Когда Урфин накануне в ярости разбрасывал зелёное крошево, его брызги попадали на столбы забора, на стволы деревьев: эти брызги пустили там корни, и оттуда выглядывали молодые растеньица.

Поражённый внезапной догадкой, Урфин сбросил с себя сапоги. На их подошвах густо зеленели крошечные ростки. Росточки выглядывали из швов одежды. Чурбак для колки дров весь ощетинился побегами. Джюс бросился в чулан: рукоятка топора тоже была покрыта молодой порослью.

Урфин сел на крыльцо и задумался. Что делать? Уйти отсюда и поселиться в другом месте? Но жалко покидать удобный вместительный дом, огород.

Урфин подошёл к филину. Тот сидел на насесте, прищурив от дневного света жёлтые глаза. Джюс рассказал о своей беде. Филин долго покачивался на жёрдочке, раздумывая.

— Попробуй, изжарь их на солнышке, — посоветовал он.

Урфин Джюс мелко изрубил несколько молодых побегов, сложил на железный лист с загнутыми краями и вынес на открытую площадку под жаркие солнечные лучи.

— Посмотрим, прорастёте ли вы здесь! — зло пробормотал он. — Если прорастёте, я уйду из этих мест.

Растения не проросли. У корней не хватило силы пройти сквозь железо. Через несколько часов жаркое солнце Волшебной страны обратило зелёную массу в бурый порошок.

— Всё-таки не напрасно я кормлю Гуама, — сказал довольный Урфин. — Мудрая птица...

Захватив тачку, Джюс отправился в Когиду собирать у хозяев железные противни, на которых пекут пироги. Он вернулся с тачкой, доверху наполненной противнями.

Урфин погрозил кулаком своим недругам.

— Теперь-то я с вами разделаюсь, — прошипел он сквозь стиснутые зубы.

Началась прямо каторжная работа. Урфин Джюс не покладал рук с зари до зари, только днём делая короткий перерыв.

Он действовал очень аккуратно. Наметив небольшую площадку, он тщательно очищал её от растений, не оставляя ни малейшей частички. Выкопанные с корнями растения он измельчал в железном тазу и раскладывал сушить на противни, расставленные ровными рядами на солнечном месте. Бурый порошок Урфин Джюс ссыпал в железные вёдра и закрывал железными крышками. Упорство и настойчивость делали своё дело. Столяр не давал врагу ни малейшей лазейки.

Участок, занятый ярко-зелёными колючими сорняками, уменьшался с каждым днём. И вот настал момент, когда последний куст обратился в лёгкий бурый порошок.

За неделю работы Джюс так измотался, что еле стоял на ногах.

Переступая через порог, Урфин споткнулся, ведро накренилось, и часть бурого порошка просыпалась на медвежью шкуру, лежавшую у порога вместо ковра.

Столяр не видел этого; он убрал последнее ведро, закрыл его, как обычно, доплёлся до кровати и уснул мёртвым сном.

Проснулся он оттого, что кто-то настойчиво теребил его за руку, свесившуюся с кровати. Открыв глаза, Урфин оцепенел от ужаса: у кровати стоял медведь и держал в зубах рукав его кафтана.

«Я погиб, — подумал столяр. — Он меня загрызёт... Но откуда в доме взялся медведь? Дверь-то была закрыта...»

Минуты шли, медведь не проявлял враждебных намерений, а только тащил Урфина за рукав, и вдруг послышался хриплый басистый голос:

— Хозяин! Пора вставать, слишком долго спишь!

Урфин Джюс был так изумлён, что кубарем свалился с кровати: медвежья шкура, раньше лежавшая у порога, стояла на четырёх лапах у постели столяра и мотала головой.

«Это ожила шкура моего ручного медведя. Она ходит, разговаривает... Но отчего это? Неужели просыпанный порошок?..»

Чтобы проверить свою догадку, Урфин обратился к филину:

— Гуам... Гуамоко!..

Филин молчал.

— Послушай, ты, наглая птица! — свирепо заорал столяр. — Довольно я ломал язык, полностью выговаривая твоё проклятое имя! Если не хочешь отвечать, убирайся в лес и сам добывай себе пищу!

Филин ответил примирительно:

— Ладно, не кипятись! Гуамоко так Гуамоко, но на меньшее я не согласен. О чём ты хотел меня спросить?

— Правда ли, что жизненная сила неизвестного растения так велика, что даже его порошок оживил шкуру?

— Правда. Об этом растении я слыхал от мудрейшего из филинов, моего прадеда Каритофилакси...

— Хватит! — рявкнул Урфин. — Замолчи! А ты, шкура, убирайся на место, не мешай мне думать!

Шкура послушно отошла к порогу и улеглась на привычном месте.

— Вот так штука! — бормотал Урфин Джюс, усевшись у стола и подперев лохматую голову руками. — Вопрос теперь в том, полезная для меня эта штука или нет?

После долгих размышлений честолюбивый столяр решил, что эта штука для него полезная, так как даёт ему большую власть над вещами. Но надо было ещё проверить, как велика сила живительного порошка. На столе стояло сделанное Урфином чучело попугая с синими, красными и зелёными перьями. Столяр достал щепоточку бурого порошка и посыпал голову и спину чучела.

Произошла удивительная вещь. Порошок с лёгким шипением задымился и начал исчезать. Его бурые крупинки словно таяли, всасываясь в кожу попугая между перьями. Чучело задвигалось, подняло голову, осмотрелось... Оживший попугай взмахнул крыльями и с резким криком вылетел в открытое окно.

— Действует! — в восторге заорал Урфин Джюс. — Действует!.. На чём бы ещё попробовать?

К стене в виде украшения были прибиты огромные оленьи рога, и Урфин щедро посыпал их живительным порошком.

— Посмотрим, что из этого будет, — ухмыльнулся столяр.

Результата пришлось ждать не очень долго. Опять лёгкий дымок над рогами, исчезновение крупинок... Затрещали выдираемые из стены гвозди, рога свалились на пол и с дикой яростью бросились на Урфина Джюса.

— Караул! — завопил испуганный столяр, удирая от рогов.

Но те с неожиданной ловкостью преследовали его повсюду: на кровати, на столе и под столом. Медвежья шкура в страхе сжалась у закрытой двери.

— Хозяин! — закричала она. — Открой дверь!..

Увёртываясь от ударов, Урфин отодвинул засов и вылетел на крыльцо. За ним с рёвом неслась медвежья шкура, а дальше дико подпрыгивали рога. Всё это смешалось на крыльце в вопящую и кувыркающуюся кучу, покатилось по ступенькам. А из дома неслось насмешливое уханье филина. Рога вышибли калитку и огромными скачками понеслись к лесу. Урфин Джюс, помятый и ушибленный, поднялся с земли.

— Чёрт побери! — простонал он, ощупывая бока. — Это уж чересчур!

Шкура с укором молвила:

— Разве ты не знаешь, хозяин, что сейчас самая пора, когда олени страшно драчливы? Еще хорошо, что ты остался жив... Ну, теперь и достанется оленям в лесу от этих рогов! — И медвежья шкура хрипло захохотала.

Из этого Урфин заключил, что с порошком надо обращаться осторожно и не оживлять что попало. В комнате был полнейший разгром: всё было поломано, опрокинуто, посуда перебита, в воздухе кружился пух из распоротой подушки. Джюс сердито сказал филину:

— Почему ты не предупредил меня, что опасно оживлять рога?

Злопамятная птица ответила:

— Гуамоколатокинт предупредил бы, а Гуамоко не хватило для этого проницательности.

Решив рассчитаться с филином за его коварство позднее, Урфин начал наводить в комнате порядок. Он поднял с пола когда-то сделанного им деревянного клоуна. У клоуна было свирепое лицо и рот с оскаленными острыми зубами, и потому его никто не купил.

— Ну, я думаю, ты не натворишь столько бед, сколько рога, — сказал Урфин и посыпал клоуна порошком.

Сделав это, он поставил игрушку на стол, а сам сел рядом на табуретку и замечтался. Опомнился он от острой боли: ожившая игрушка вцепилась ему зубами в палец.

— И ты туда же, дрянь! — рассвирепел Урфин Джюс и с размаху швырнул клоуна на пол.

Тот заковылял в дальний угол, спрятался за сундук и остался сидеть там, мотая для собственного удовольствия руками, ногами и головой.

ЧЕСТОЛЮБИВЫЕ ПЛАНЫ УРФИНА ДЖЮСА

Однажды Урфин сидел на крыльце и слушал, как в доме переругивались медвежья шкура и Гуамоко.

— Ты, филин, не любишь хозяина, — ворчала шкура. — Нарочно молчал, когда он оживил рога, а ведь знал, что это опасно... И всё-то ты хитришь, филин, всё хитришь. Насмотрелся я на вашего брата, когда жил в лесу. Вот погоди, доберусь до тебя...

— Ух-ух-ух! — издевался филин с высокого насеста. — Ну и напугала, пустая болтушка!

— Что я пустая, это верно, — сокрушённо призналась шкура. — Попрошу хозяина набить меня опилками, а то уж очень легка я на ходу, никакой устойчивости, любой ветерок свалит с ног...

«А это хорошо придумано, — заметил про себя Джюс, — надо будет так и сделать».

Голоса в доме становились все громче, и Урфин гневно прикрикнул:

— Ну, вы там, разгалделись! Замолчать!

Спорщики продолжали браниться шёпотом. Урфин Джюс строил планы на будущее. Конечно, он должен теперь занять более высокое положение в Голубой стране. Урфин знал, что Жевуны после смерти Гингемы выбрали в правители уважаемого старика Према Кокуса.

Под управлением доброго Кокуса Жевунам жилось легко и свободно.

Вернувшись в дом, Урфин заходил по комнате. Филин и медвежья шкура умолкли. Джюс рассуждал вслух:

— Почему Жевунами правит Прем Кокус? Разве он умнее меня? Разве он такой искусный мастер, как я? Разве у него такая же величавая осанка? — Урфин Джюс гордо выпрямился, выпятил грудь, надул щёки. — Нет, Прему Кокусу далеко до меня!

Медвежья шкура угодливо подтвердила:

— Верно, хозяин, у тебя очень внушительный вид!

— Тебя не спрашивают! — рявкнул Урфин и продолжал: — Прем Кокус гораздо богаче меня, это правда! У него большие поля, где работает много людей. Но теперь, когда у меня есть живительный порошок, я могу наделать себе сколько угодно работников, они расчистят лес, и у меня тоже будут поля... Стой! А что, если не работников, а солдат? Да-да-да! Я наделаю себе свирепых, сильных солдат, и пусть тогда Жевуны осмелятся не признать меня своим правителем!

Урфин в волнении забегал по комнате.

«Даже дрянной маленький клоун укусил меня так, что до сих пор больно, — думал он, — а если сделать деревянных людей в человеческий рост, научить их владеть оружием... Да ведь тогда я смогу помериться силами с самим Гудвином...»

Но столяр тут же боязливо зажал себе рот: ему показалось, что он сказал эти дерзкие слова вслух. А вдруг услышал их Великий и Ужасный? Урфин вжал голову в плечи и ожидал, что вот-вот его поразит удар невидимой руки. Но всё было спокойно, и у Джюса отлегло на душе.

«Всё-таки надо быть поосторожнее, — подумал он. — На первое время достаточно с меня Голубой страны. А там... там...»

Но он даже мысленно не решился простирать свои мечты дальше.

...Урфин Джюс знал красоту и богатство Изумрудного города. В молодости ему довелось побывать там, и воспоминания не покидали его до сих пор.

Урфин видел там удивительные дома: у них верхние этажи нависали над нижними, и кровли противостоящих домов почти сходились над улицами. На мостовых всегда было сумрачно и про-

хладно, туда не проникали жаркие лучи солнца. В этом сумраке неторопливо прогуливались обитатели города, все в зелёных очках. Таинственным светом сияли изумруды, вкраплённые не только в стены домов, но даже между камнями мостовых...

Столько сокровищ! Волшебник не содержал для их охраны многочисленную армию — всё войско Гудвина состояло из одного-единственного Солдата, которого звали Дин Гиор. Впрочем, зачем нужна была Гудвину армия, если одним своим взглядом он мог испепелить полчища врагов?

У Дина Гиора была одна забота — ухаживать за своей бородой. Ну, уж это была и борода! Она тянулась до самой земли, Солдат расчёсывал её с утра до вечера хрустальным гребешком, а иногда заплетал её, как косу.

По случаю дворцового праздника Дин Гиор показывал на площади солдатские приёмы на потеху собравшимся зевакам. Он так ловко управлялся с мечом, копьём и щитом, что привёл в восторг зрителей.

Когда парад кончился, Урфин подошел к Дину Гиору и спросил:

— Достопочтенный Дин Гиор, не могу не высказать вам своё восхищение. Скажите, где вы изучали эти премудрости?

Польщённый Солдат ответил:

— В старое время в нашей стране часто бывали войны, об этом я прочитал в летописи. Я разыскал старинные военные рукописи, где рассказано, как начальники учили солдат, каковы были воинские приёмы, как отдавались приказы. Я усердно изучил всё это, применил на деле... и вот результаты!..

Чтобы вспомнить военные приёмы Солдата, Урфин решил заняться с деревянным клоуном.

— Эй, клоун! — закричал он. — Где ты?

— Я здесь, хозяин, — отозвался писклявый голос из-за сундука. — Ты опять будешь драться?

— Вылезай, не бойся, я не сержусь на тебя. И кстати, раз уж ты ожил, я дам тебе человеческое имя: отныне ты будешь называться Эот Линг.

Эот Линг выбрался из своего убежища.

— Сейчас я посмотрю, на что ты способен, — сказал Урфин. — Маршировать умеешь?

— А что это такое, хозяин?

— Зови меня не хозяином, а повелителем! Я это и тебе говорю, шкура!

— Слушаюсь, повелитель! — в один голос ответили клоун и медвежья шкура.

— Маршировать — это значит ходить, отбивая шаг, поворачивать по приказу направо и налево или кругом.

Эот Линг оказался довольно сообразительным и перенимал солдатскую науку быстро, но он не мог взять деревянную саблю, выстроганную Урфином. У клоуна не было пальцев, а кисти просто заканчивались кулаками.

— Придётся моим будущим солдатам делать гибкие пальцы, — решил Урфин Джюс.

Ученье продолжалось до самого вечера. Урфин устал командовать, но деревянный клоун был всё время свеж и бодр, он не показывал никаких признаков утомления. Конечно, этого и следовало ожидать: разве может уставать дерево?

Во время урока медвежья шкура с восхищением глядела на своего повелителя и шёпотом повторяла все его приказы. А Гуамоко презрительно щурил жёлтые глаза.

Урфин был в восхищении. Но теперь им овладела тревожная мысль: вдруг у него украдут живительный порошок? Он закрыл дверь на три засова, заколотил чулан, где стояли вёдра с порошком, и всё же спал тревожно, просыпаясь при каждом шорохе и стуке.

Можно было раздать Жевунам взятые у них железные противни, которые теперь были не нужны столяру. Джюс решил своё новое появление в Когиде обставить торжественно. Тачку он переделал в тележку, чтобы запрягать в неё медвежью шкуру. И тут он вспомнил подслушанный разговор шкуры с филином.

— Послушай, шкура! — сказал он. — Я заметил, что ты слишком легка и неустойчива на ходу, и потому решил набить тебя опилками.

— О, повелитель, как ты мудр! — в восторге завопила простодушная шкура.

В сарае Урфина опилок накопились груды, и набивка прошла быстро. Закончив её, Джюс задумался.

— Вот что, шкура, — сказал он. — Я тоже дам тебе имя.

— О, повелитель! — радостно вскричала медвежья шкура. — И это имя будет такое же длинное, как у филина?

— Нет, — сухо ответил Джюс. — Наоборот, оно будет коротким. Ты будешь называться Топотун, медведь Топотун.

Добродушному медведю новое имя очень понравилось.

— Как здорово! — воскликнул он. — У меня будет самое звучное имя в Голубой стране. То-по-тун! Пусть-ка теперь филин попробует задирать передо мной нос!

Топотун грузно затопал из сарая, радостно ворча:

— Вот теперь, по крайней мере, чувствуешь себя настоящим медведем.

Урфин запряг Топотуна в тележку, взял с собой Гуамоко и клоуна и с большим шиком въехал в Когиду. Железные противни грохотали, когда тележка подпрыгивала на кочках, и поражённые Жевуны сбегались толпами.

— Урфин Джюс — могучий волшебник, — перешёптывались они. — Он оживил ручного медведя, издохшего в прошлом году...

Джюс слышал обрывки этих разговоров, и сердце его переполнялось гордостью. Он приказал хозяйкам разобрать противни, и те, боязливо косясь на медведя и филина, очистили тележку.

— Понимаете теперь, кто господин в Когиде? — сурово спросил Урфин.

— Понимаем, — смиренно ответили Жевуны и заплакали.

Дома, поразмыслив, Урфин Джюс решил, что станет расходовать порошок крайне экономно. Он приказал жестянщику сделать несколько фляг с плотно завинчивающимися крышками, пересыпал в них порошок и закопал фляги под деревом в саду. В надёжность чулана он уже не верил.

РОЖДЕНИЕ ДЕРЕВЯННОЙ АРМИИ

Урфин Джюс понимал, что если он один будет трудиться над созданием деревянной армии, даже и немногочисленной, то работа затянется надолго.

В Когиде появился медведь и заревел трубным голосом. Сбежались перепуганные Жевуны.

— Наш повелитель Урфин Джюс, — объявил Топотун, — приказал, чтобы к нему каждый день приходили по шесть мужчин заготовлять брёвна в лесу. Они должны являться со своими топорами и пилами.

Жевуны подумали, поплакали... и согласились.

В лесу Урфин Джюс пометил деревья, которые нужно было свалить, и указал, как их надо распиливать.

Заготовленные кряжи из лесу во двор Урфина перевозил Топотун. Там столяр расставлял их сушить, но не на солнце, а в тени, чтобы они не потрескались.

Через несколько недель, когда брёвна высохли, Урфин Джюс принялся за работу. Он начерно обтёсывал туловища, делал заготовки для рук и ног. Урфин задумал на первое время ограничиться пятью взводами солдат, по десять в каждом взводе: он считал, что этого вполне достаточно, чтобы захватить власть над Голубой страной.

Во главе каждого десятка станет капрал, а командовать всеми будет генерал — предводитель деревянной армии.

Солдатские туловища Урфин хотел делать из сосны, так как её легче обрабатывать, но головы к ним столяр решил приделать дубовые на тот случай, если солдатам придётся драться головами. Да и вообще, солдатам, которые не должны рассуждать, дубовые головы подойдут лучше всего.

Для капралов Урфин заготовил красное дерево, а для генерала с большим трудом разыскал в лесу драгоценный палисандр. Сосновые солдаты с дубовыми головами будут почитать капралов из красного дерева, а эти, в свою очередь, станут благоговеть перед красивым палисандровым генералом.

Изготовление деревянных фигур в полный человеческий рост было для Урфина делом новым, и для начала он соорудил пробного солдата. Конечно, у этого солдата было свирепое лицо, глазами послужили стеклянные пуговицы. Оживляя солдата, Урфин посыпал ему голову и грудь чудесным порошком, несколько замешкался, и вдруг деревянная рука, разогнувшись, нанесла ему такой сильный удар, что он отлетел на пять шагов. Разозлившись, Урфин схватил топор и хотел было изрубить лежавшую на полу фигуру, но тут же опомнился.

«Себе работы наделаю, — подумал он. — Однако и силища же у него... С такими солдатами я буду непобедим!»

Сделав второго солдата, Урфин Джюс задумался: много месяцев уйдёт на создание его армии. А ему не терпелось отправиться в поход. И он решил обратить в подмастерьев двух первых солдат.

Обучить деревянных людей столярному ремеслу оказалось нелегко. Дело продвигалось так туго, что даже настойчивый Джюс терял терпение и осыпал своих деревянных учеников неистовой руганью:

— Ну и бестолочь! Что за дуболомы!..

И вот однажды на сердитый вопрос учителя: «Ну кто же ты после этого?» — ученик, гулко хлопнув себя по деревянной груди деревянным кулаком, ответил: «Я — дуболом!»

Урфин разразился громким хохотом:

— Ладно! Так и называйтесь дуболомами, это самое подходящее для вас имя!

Когда дуболомы научились немного столярничать, они стали помогать мастеру в работе: вытёсывали туловища, руки и ноги, выстругивали пальцы для будущих солдат.

Но дело не обошлось без смешных случаев. Однажды Урфину понадобилось отлучиться. Он дал подмастерьям пилы и приказал

распилить десяток брёвен на куски. Возвратившись и увидев, что натворили его подручные, Урфин рассвирепел. Работники быстро распилили брёвна, и так как дела больше не оказалось, они принялись пилить всё, что попадалось под руку: верстаки, забор, ворота... На дворе валялись груды обломков, годных только на дрова. Однако и этого не хватило деревянным пильщикам, пока хозяин на свою беду задержался: подмастерья с бессмысленным усердием пилили друг другу ноги!

В другой раз дуболом раскалывал клиньями толстый чурбан. Выбивая клинья топором, который он держал в правой руке, неопытный подмастерье засунул в щель пальцы другой руки. Клинья вылетели, и пальцы оказались намертво защемлёнными. Дуболом понапрасну дёргал их, а потом, чтобы освободиться, обрубил себе пальцы левой руки.

С тех пор Урфин старался не оставлять своих помощников без надзора.

Наладив изготовление солдат, Урфин стал делать капралов из красного дерева.

Капралы вышли на славу: ростом они были выше солдат, с ещё более мощными руками и ногами, со злыми красными лицами, способными напугать кого угодно.

Солдаты не должны были знать, что их командиров вытесали из дерева, как и их самих, поэтому Урфин делал капралов в другом помещении.

Воспитанию капралов Урфин Джюс посвятил много времени. Капралы должны были понять, что в сравнении со своим повелителем они — ничтожество и любой его приказ для них — закон. Но для солдат они, капралы, — требовательные и суровые начальники, их подчинённые обязаны их почитать и повиноваться им. Как знак власти Урфин вручил капралам дубинки из железного дерева и сказал, что не будет взыскивать, если они поломают дубинки о спины своих подчинённых.

Чтобы возвысить капралов над рядовыми, Урфин дал им собственные имена — Арум, Бефар, Ватис, Гитон и Дарук. Когда обучение капралов было закончено, они с важным видом появились перед солдатами и сразу же поколотили их за недостаточное усердие. Солдаты не чувствовали боли. Но они с огорчением рассматривали следы ударов на своих гладко выстроганных телах.

Отобрав нужные материалы и инструменты, Урфин Джюс заперся в доме, поручил Топотуну надзор за деревянным воинством, а сам приступил к работе над палисандровым генералом. Урфин старательно отделывал будущего военачальника, который поведёт в бой его деревянных солдат.

Две недели ушло на выделку генерала, а простой солдат получался за три дня. Генерал вышел роскошный: по всему его туловищу, по рукам и ногам, по голове и лицу шли красивые разноцветные узоры, всё тело было отполировано и блестело.

Урфин оживил генерала, тот спрыгнул с верстака и, свирепо вращая глазами, двинулся на хозяина. Джюс сначала оробел, а потом, осмелев, скомандовал:

— Стой! Смир-рно! — Генерал замер. — Слушать мои слова! Вы — генерал Лан Пирот, командующий непобедимой армией Урфина Джюса. А Урфин Джюс — это я, ваш господин и повелитель! Понятно? Повторить!

Деревянная фигура хрипло, но чётко повторила:

— Я — генерал Лан Пирот, командующий непобедимой армией Урфина Джюса. Вы — Урфин Джюс, мой господин и повелитель... А почему вы мой повелитель? — вдруг усомнился генерал. — Может быть, наоборот? Я повыше вас ростом, да и силы у меня побольше...

Генерал грозно шагнул к Урфину, тот в испуге отступил, а потом сердито закричал:

— Топотун! Покажи этому наглецу, кто здесь повелитель!

Медведь дал генералу здоровую затрещину, тот полетел кувырком. Поднявшись, он смущённо сказал:

— Ну, зачем сразу такие крутые меры, повелитель? Смотрите, какая вмятина получилась на голове...

— Вмятину я заделаю, зато вы теперь знаете, кто из нас главный.

— Да уж буду знать. А где моя непобедимая армия?

Узнав, что у него в подчинении будут пять капралов и пятьдесят рядовых дуболомов, а впоследствии и ещё больше, Лан Пирот утешился.

Пока Лан Пирот под руководством Урфина Джюса учился военной науке, овладевал оружием и усваивал генеральские манеры, работа в мастерской шла днём и ночью, благо деревянные подмастерья никогда не уставали.

И вот на дворе появились Урфин Джюс и блестящий, внушительный генерал Лан Пирот. Дуболомы сразу прониклись благоговением перед таким представительным начальником.

Генерал устроил армии смотр и разнёс её за недостаточно бравый вид.

— Я вобью в вас воинский дух! — рычал полководец хриплым начальственным басом. — Вы у меня поймёте, что такое служба!

При этом он потрясал генеральской булавой, которая была втрое тяжелее капральских жезлов: одним ударом этой булавы можно было разбить любую дубовую голову.

С этого дня Лан Пирот ежедневно устраивал своей армии многочасовые учения, а Урфин Джюс быстро пополнял её новыми солдатами.

За упорство, с каким Урфин создавал деревянную армию, хитрый филин Гуамоко начал уважать его. Филин понял, что его услуги не так уж нужны Джюсу, а житьё у нового волшебника было сытное и беззаботное. Гуамоко прекратил свои насмешки над Урфином и стал чаще называть его повелителем. Это нравилось Джюсу, и между ним и филином установились хорошие отношения.

А медведь Топотун был вне себя от восторга, видя, какие чудеса совершает его владыка. И он требовал, чтобы все дуболомы выказывали повелителю величайший почёт.

Однажды Лан Пирот не очень быстро встал при появлении Урфина Джюса и недостаточно низко ему поклонился. За это медведь отвесил генералу такого тумака своей могучей лапой, что тот покатился кубарем. К счастью, этого не видели солдаты и авторитет генерала не пострадал, чего нельзя сказать о его полированных боках.

Но с тех пор Лан Пирот стал необычайно почтителен не только к повелителю, но и к его верному медведю.

Наконец дуболомная армия в составе генерала, пяти капралов и пятидесяти рядовых была обучена строю и обращению с оружием. У солдат не было сабель, но Урфин вооружил их дубинками. Для начала этого было достаточно: дуболомов нельзя было застрелить из луков или заколоть копьями.

ПОХОД ДУБОЛОМОВ

В одно злосчастное для них утро жители Когиды всполошились от сильного топота: это маршировала по улице деревянная армия Урфина Джюса. Впереди важно шагал палисандровый генерал с огромной булавой в руке, за ним шло войско с капралами перед каждым взводом.

— Ать-два, ать-два! — командовали капралы, и солдаты дружно отбивали шаг деревянными ступнями.

Сбоку ехал на медведе Урфин Джюс и любовался своим воинством.

— Ар-р-мия, стой! — оглушительно рявкнул Лан Пирот, деревянные ноги стукнули одна о другую, и армия остановилась.

Испуганные обитатели деревни, высыпав из своих домов, стояли на крылечках и у ворот.

— Слушайте меня, жители Когиды! — громко провозгласил Урфин Джюс. — Я объявляю себя правителем Голубой страны! Сотни лет Жевуны служили волшебнице Гингеме. Гингема погибла, но не исчезло её волшебное искусство, оно перешло ко мне. Вы видите этих деревянных людей: я сделал и оживил их. Достаточно мне сказать слово, и моя неуязвимая деревянная армия перебьёт вас всех и разрушит ваши дома. Признаёте вы меня своим повелителем?

— Признаём, — ответили Жевуны и отчаянно зарыдали.

Головы Жевунов тряслись от неудержимого плача, а бубенчики под шляпами подняли радостный трезвон. Этот трезвон так не подходил к мрачному настроению Жевунов, что они сдёрнули свои шляпы и повесили их на специально врытые у крылечек столбики.

Урфин приказал всем расходиться по домам, но задержал кузнецов.

Кузнецам он приказал выковать сабли для капралов и генерала и остро отточить.

Чтобы никто из жителей Когиды не предупредил Према Кокуса и чтобы тот не смог приготовиться к обороне, Урфин Джюс приказал дуболомам окружить деревушку и никого из неё не выпускать.

Урфин Джюс выгнал всех из дома старосты, поставил медведя у дверей на караул и лёг спать.

Спал Урфин долго, проснулся только к вечеру и отправился проверять караулы.

Его удивило неожиданное зрелище. Генерал, капралы и солдаты были на своих постах, но все они прикрывались большими зелёными листьями и ветками.

— В чём дело? — резко спросил Урфин Джюс. — Что с вами случилось?

— Нам стыдно... — смущённо ответил Лан Пирот. — Мы — голые...

— Вот ещё новости! — сердито закричал Урфин. — Вы — деревянные!

— Но мы же люди, повелитель, вы сами говорили об этом, — возразил Лан Пирот. — Люди носят одежду... И они нас дразнят...

— Не было печали! Дам вам одежду!

Деревянное воинство так обрадовалось, что трижды прокричало «ура» в честь Урфина Джюса.

Отпустив свою армию, Урфин призадумался: легко было обещать одежду пятидесяти шести деревянным воинам, но где её взять? В деревушке, конечно, не найдётся материи для мундиров, кожи для сапог и ремней, да и мастеров нет, чтобы выполнить такую большую работу.

Урфин рассказал о своём затруднении филину. Гуамоко поводил по сторонам большими жёлтыми глазами и бросил одно лишь слово:

— Краска!

Это слово всё объяснило Урфину. В самом деле: зачем одевать деревянные тела, которые не нуждаются в защите от холода, когда можно их просто раскрасить?

Урфин Джюс призвал к себе старосту и потребовал принести ему краски всех цветов, какие есть в деревне.

Расставив вокруг себя банки с красками и разложив кисти, Урфин принялся за дело. Он решил выкрасить на пробу одного солдата и посмотреть, что из этого получится. Намалевал на деревянном туловище жёлтый мундир с белыми пуговицами и ремнём, на ногах — штаны и сапоги.

Когда повелитель показал свою работу деревянным солдатам, те пришли в восторг и пожелали, чтобы их привели в такой же вид.

Одному Урфину трудно было управиться с работой, поэтому он привлёк к ней всех местных маляров.

Дело закипело. Через два дня армия блистала свежей краской, от неё за милю несло скипидаром и олифой.

Первый взвод выкрасили в жёлтый цвет, второй — в голубой, третий — в зелёный, четвёртый — в оранжевый и пятый — в фиолетовый.

Капралам для отличия от солдат были пририсованы ленты через плечо соответствующего цвета, которыми капралы очень возгордились. Плохо только то, что у солдат не хватило ума дождаться, когда краска высохнет. Восхищаясь друг другом, они тыкали пальцем один другому в живот, в грудь, в плечи. Получались пятна, и от этого дуболомы стали немного похожи на леопардов.

Генералу Джюс сумел доказать, что его прекрасные разноцветные узоры лучше всякой одежды.

Раскрашенная армия была в восторге, но тут возникло неожиданное затруднение. Дуболомы лицом походили один на другого как две капли воды, и если командиры раньше различали их по расположению сучков, то теперь сучки были закрашены, и такая возможность исчезла.

Урфин Джюс, впрочем, не растерялся. Он нарисовал на груди и спине каждого солдата порядковый номер.

Эти опознавательные знаки и стали именами солдат, что было очень удобно.

Прежде приходилось вызывать солдат так:

— Эй ты, с сучком на брюхе, шаг вперёд! Стой, стой, а ты куда? У тебя тоже сучок на брюхе? Ну, мне нужен не ты, а вон тот, у которого ещё два маленьких сучка на левом плече...

Теперь дело обстояло гораздо проще:

— Зелёный номер один, два шага вперёд! Как стоишь в строю, я тебя спрашиваю? Вот тебе, вот, вот!..

Раздавались глухие удары дубинки, и наказанный возвращался в строй.

Поход ничто больше не задерживало: сабли выкованы и отточены, нарисованные мундиры и штаны высохли. Урфин сделал седло, чтобы удобнее было ехать на медвежьей спине. К седлу он приторочил вместительные сумки, а в них спрятал фляги с живительным порошком — своей величайшей драгоценностью. Всей армии — вплоть до генерала — было строго запрещено дотрагиваться до сумок.

Некоторые дуболомы несли инструменты из мастерской Урфина: пилы, топоры, рубанки, свёрла, а также запас деревянных голов, ног и рук.

Урфин Джюс запер свой дом на большие замки и приказал жителям Когиды не приближаться к нему. Деревянного клоуна он посадил за пазуху, предупредив, чтобы тот не вздумал кусаться. Филин пристроился на плече Урфина.

— Ать-два, ать-два! Левой, правой!

Армия выступила в поход на поместье Према Кокуса ранним утром. Она бодро отбивала ногу, а Урфин Джюс ехал сзади на медведе и радовался, что нарисовал опознавательные знаки не только на груди у каждого солдата, но и на спине. Если кто-либо из них струсит в бою и побежит, то виновника сразу можно будет узнать и распилить на дрова.

НОВЫЙ ЗАМЫСЕЛ

Завоевание Голубой страны досталось Джюсу очень легко. Прем Кокус и его работники были захвачены врасплох. Они даже не пытались сопротивляться свирепым дуболомам и сразу признали себя побеждёнными.

Государственный переворот совершился: Урфин Джюс стал повелителем обширной страны Жевунов.

За два года до этого в Волшебной стране случилось землетрясение. Дорогу в Изумрудный город пересекли два глубоких оврага, и сообщение между ним и страной Жевунов было прервано. Во время путешествия в Изумрудный город Элли и её друзья перебрались через овраги, но это стоило им больших трудов. Робким Жевунам такой подвиг был не под силу, они предпочитали сидеть дома и довольствоваться теми новостями, которые переносили из края в край птицы.

Подслушивая птичьи разговоры (самыми осведомлёнными оказались сороки), Жевуны узнали о том, что Гудвин несколько месяцев тому назад покинул Волшебную страну, оставив своим преемником Страшилу Мудрого. Стало им известно и то, что Фея Убивающего Домика, которую Жевуны полюбили за то, что она освободила их от Гингемы, тоже вернулась к себе на родину.

Узнал обо всём этом и Урфин Джюс. Новости пришли к нему от Гуамоко, а тому поведали об этом лесные совы и филины.

Когда до Урфина дошли эти важные известия, бывший столяр, а теперь правитель Голубой страны Жевунов задумался. Ему показалось, что пришёл подходящий момент осуществить свою мечту и захватить власть над Изумрудным городом. Таинственная личность Гудвина и его удивительная способность превращаться в различных зверей и птиц пугали Урфина Джюса, но теперешний правитель Страшила не внушал ему никакого страха. Правда, Урфина смущало прозвище Мудрый, которое дал Страшиле Гудвин.

Но Урфин говорил филину так:

— Предположим, что у Страшилы есть мудрость. Зато у меня — сила. Что он может со своей мудростью, когда у меня мощная армия, а у него всего-навсего один Длиннобородый Солдат? Есть у него надёжный союзник — Железный Дровосек, но он не успеет прийти на помощь... Решено — отправляюсь завоёвывать Изумрудный город!

Гуамоко одобрил план повелителя. Армия Урфина Джюса выступила в поход.

* * *

Напрасно грозный завоеватель надеялся, что его воинственные замыслы останутся тайной для Страшилы. Те же самые птицы, которые разболтали в стране Жевунов последние новости Изумрудного города, донесли в город тревожную весть о том, что на его мирных жителей надвигается беда: идёт армия мощных деревянных солдат по прозванию дуболомы. И ведёт их бывший столяр Урфин Джюс, уже покоривший страну Жевунов.

Несколько десятков лет существовал Изумрудный город, и ни разу ещё не грозило ему вражеское нашествие. Когда городом управлял Гудвин, все считали его непобедимым волшебником, и никто не осмеливался идти на него войной.

«Я, конечно, ничтожество в сравнении с Гудвином Великим и Ужасным, — горестно размышлял Страшила. — Стоило мне стать правителем, и вот уже на Изумрудный город идут враги. Но я не сдамся без боя...»

Страшила созвал военный совет. На этом совете присутствовали Длиннобородый Солдат Дин Гиор, Страж Ворот Фарамант, ворона Кагги-Карр, та самая, что надоумила Страшилу раздобыть мозги (с тех пор она стала его лучшим другом и советником), и несколько именитых горожан.

Сделав коротенький доклад о планах Урфина Джюса, Страшила закончил так:

— Хорошо, что мы узнали об опасности. Времени терять нельзя, надо готовить крепкую оборону. Почтенный Дин Гиор, я назначаю тебя фельдмаршалом наших вооружённых сил.

Фельдмаршал тотчас изложил свои соображения. Он сказал:

— Я немедленно соберу мастеров, и они сегодня же начнут поднимать городские стены там, где они доступны для нападения. Мы обошьём ворота листами железа, чтобы их нельзя было протаранить. Я прикажу специальным командам таскать на стены как можно больше камней и тяжёлых поленьев. И если понадобится, мы даже выковыряем изумруды из городских мостовых!

— Очень пре-ду-смо-три-тель-на-я программа, очень! — восхитился Страшила. — Сразу видно, что ты — великий теоретик военного дела. Иди и принимайся за работу! А тебя, почтенный Фарамант, я назначаю начальником снабжения.

Фарамант тоже выдвинул свой проект действий.

— Я сейчас же разошлю продовольственные отряды по всем фермам, — сказал он. — Мы соберём в городе запасы муки, масла, сыра, яиц, пригоним стада скота и запасём для него сена. Враг может стоять под стенами целый год, но он не заморит нас голодом. Женщин и детей мы отправим в глубь страны, чтобы у нас не было лишних едоков.

— Очень прекрасный план, очень! — одобрил Страшила. — Иди и выполняй. Тебя, почтенная Кагги-Карр, я назначаю начальником связи. Думаю, тебе с твоими сильными крыльями такая должность придётся по душе.

— О, я справлюсь с ней лучше всякого другого! — воскликнула Кагги-Карр. — Я разошлю птиц от города до страны Жевунов, и по этой эстафете мы будем иметь самые точные сведения о про-

движении врага. И, помимо этого, я пошлю крылатых гонцов за Железным Дровосеком, пусть спешит к нам на помощь.

— Браво, браво! Я не ошибся в выборе помощников. Действуй, Кагги-Карр! — Она тут же улетела в открытое окно, а правитель обратился к горожанам: — Вам, друзья мои, придется выступить простыми бойцами за свободу родного города.

Горожане с энтузиазмом отозвались. Особенно усердствовал Руф Билан, коренастый человек с круглым багровым лицом. Он кричал и размахивал руками даже тогда, когда все остальные уже замолкли.

С большим достоинством Страшила произнёс:

— Я не благодарю вас, друзья, за ваши пат-ри-о-ти-че-ские чувства, защищать родной город — ваш священный долг. Но довольно слов, за дело.

И все отправились туда, где их помощь была более всего необходима. Так сорвалась надежда Урфина Джюса захватить Изумрудный город врасплох.

* * *

Через три дня ускоренного похода деревянное воинство подошло к первому оврагу, который перерезал дорогу, вымощенную жёлтым кирпичом. Здесь с дуболомами произошло приключение.

Деревянные солдаты привыкли ходить по ровному месту, и овраг не показался им чем-либо опасным. Первая шеренга дуболомов с капралом Арумом занесла правые ноги в воздух, одно мгновение колебалась над оврагом, а потом дружно ухнула вниз. Через несколько секунд грохот возвестил, что храбрые воины достигли цели. Других дуболомов это ничему не научило. Вторая шеренга двинулась вслед за первой, и Урфин с перекошенным от ужаса лицом заорал:

— Генерал, остановите войско!

Лан Пирот скомандовал:

— Армия, стой!

Гибель деревянных солдат была предотвращена, и осталось только выудить из оврага пострадавших и отремонтировать. Эта работа, а затем постройка надёжного деревянного моста через овраг потребовала остановки на пять дней.

Но вот первый овраг остался позади, и дуболомы вступили в лес. Этот лес пользовался дурной славой в стране: в нём обитали огромные тигры необычайной силы и свирепости. У них длинные острые клыки высовывались из пасти наружу, как сабли, и потому этих зверей прозвали саблезубыми тиграми. Среди Жевунов ходило немало рассказов о страшных происшествиях, случившихся в Тифовом лесу.

Урфин боязливо оглядывался по сторонам. Торжественно-тревожно было вокруг. Огромные деревья, покрытые свесившимися гирляндами седого мха, своими вершинами смыкались вверху, и под тёмно-зелёными сводами было сумрачно и сыро. Дорогу из жёлтого кирпича густо устилали опавшие листья, и тяжёлые шаги дуболомов звучали приглушённо.

Сначала всё шло благополучно, но вдруг к Урфину подскочил Лан Пирот.

— Повелитель! — крикнул он. — Из леса выглядывают звериные морды. Глаза у них жёлтые, а изо рта торчат белые сабли...

— Это саблезубые тигры, — сказал испуганный Урфин. Присмотревшись, он увидел в зарослях десятки огоньков: это светились глаза хищников. — Генерал, привести армию в боевую готовность!

— Слушаюсь, повелитель!

Урфина окружило кольцо деревянных солдат с дубинками и саблями в руках.

Саблезубые тигры нетерпеливо возились и пыхтели в чаще, но ещё не осмеливались напасть: необычный вид добычи смущал их. И, кроме того, они не чуяли запаха человека, а человек являлся их излюбленным лакомством. Вдруг ветерок донёс до леса запах Урфина Джюса, и два тигра, самые голодные и нетерпеливые из всей компании, решились. Они выскочили из зарослей и взвились высоко над дорогой.

Но когда тигры уже готовы были опуститься в центр защищённого круга, сабли капралов по приказу Лана Пирота мгновенно взметнулись вверх, и звери, завывая, повисли на остриях. Заработали солдатские дубинки, круша головы и рёбра тигров. С хищниками было покончено в один момент, и дуболомы отшвырнули их истерзанные тела к обочине дороги. Урфин Джюс пришёл в неистовый восторг. Он тут же объявил армии благодарность.

Устрашённые тигры не посмели больше нападать на таких опасных врагов. Они ещё полежали, посверкали глазами, для приличия порычали и, пристыженные, уползли в лесную чащу.

Урфину Джюсу пришла в голову мысль оживить шкуры убитых тигров — у него будут слуги, сильнее которых нет в Волшебной стране. Он уже распорядился снять с тигров шкуры, но вдруг, передумав, отменил приказ. Ведь если шкуры саблезубых тигров, известных свирепым нравом, восстанут против него, Урфина, то с ними невозможно будет справиться.

У второго оврага дуболомы сами остановились.

Перейдя овраг по наведённому через него мосту, армия вышла в поле. И тут Урфина ждала новая неприятность, о которой он не думал не гадал.

Дуболомы слишком мало видели за свою короткую жизнь и, встретив что-нибудь новое, терялись, не зная, как себя вести.

Попадись на дороге третий овраг, деревянные солдаты были бы осторожны. Но, на беду, им встретилась Большая река, через которую надо было переправляться по пути из страны Жевунов в Изумрудный город. А до этого дуболомы видели только маленькие ручьи, через них они перешагивали, даже не замочив ног.

Поэтому обширная гладь реки показалась генералу Лану Пироту каким-то новым видом дороги, очень удобным для ходьбы.

Урфин Джюс не успел моргнуть глазом, как деревянный генерал рявкнул:

— За мной, моя храбрая армия!

С этими словами он сбежал с откоса в реку, а послушные дуболомы посыпались за ним.

Вода у берега была глубокая и текла быстро. Она подхватила генерала, капралов, солдат и повлекла их, кувыркая и сталкивая друг с другом. Напрасно Урфин Джюс в отчаянии метался по берегу и орал во всё горло:

— Стойте, дуболомы! Стойте!

Солдаты исполняли приказы только своего генерала, вдобавок они не понимали, что происходит, и взвод за взводом шагал в воду.

Две-три минуты — и завоеватель остался без армии: всю её унесла река!

Урфин рвал на себе волосы от злости и отчаяния.

Филин пробормотал:

— Не расстраивайся, повелитель. В молодости я бывал в этих краях, и мне помнится, что за несколько миль ниже река заросла камышом: наши воины должны там задержаться...

Слова филина немного успокоили Урфина. Нагрузив уцелевший столярный инструмент на Топотуна, Джюс отправился по берегу. После полутора часов быстрой ходьбы он увидел, что река стала шире и мельче, на ней появились камышовые острова и возле них шевелились разноцветные пятна. Урфин Джюс вздохнул с облегчением: дело можно было исправить.

Рассмотрев среди солдат Лана Пирота, Урфин закричал:

— Эй, генерал, прикажите дуболомам плыть к берегу!

— А что значит — плыть? — отозвался Лан Пирот.

— Ну тогда бредите, если мелко!

— А как это — бредите?

Урфин Джюс сердито плюнул и принялся строить плот. Спасение армии отняло у него больше суток. Деревянное воинство имело жалкий вид: краска на туловищах облупилась, разбухшие от воды руки и ноги двигались с трудом.

Пришлось устроить длительную стоянку. Солдаты лежали на бережку целыми взводами во главе с капралами и сохли, а Урфин сколачивал большой прочный плот.

Дорога из жёлтого кирпича шла на север, и видно было, что за ней давно не ухаживали. Она заросла кустарником, и только посередине оставалась узкая тропинка.

Дуболомы растянулись в колонну по одному. Первым шёл капрал Бефар, длинную цепочку замыкал генерал Лан Пирот. Далее ехал на Топотуне Урфин Джюс.

Один лишь человек из этой странной армии мог чувствовать усталость и голод, и это был её создатель и повелитель Урфин Джюс.

Подошёл обеденный час, пора было устраивать привал, но капрал Бефар всё топал да топал вперёд, и за ним отбивали шаг неутомимые дуболомы. Урфин наконец не выдержал и сказал Лану Пироту:

— Генерал, передайте вперёд, чтобы армия остановилась.

Лан Пирот легонько ткнул булавой в спину последнего солдата и начал:

— Передай...

Дуболом не стал дослушивать. Он понял, что по какой-то причине, известной начальству и до которой ему, жёлтому номеру десять, нет никакого дела, надо передать вперёд полученный удар. И со словом «Передай!» он сунул дубинкой в спину жёлтого девятого. Но удар получился немного сильнее.

— Передай! — крикнул девятый жёлтый и стукнул жёлтого восьмого так, что тот пошатнулся.

— Передай, передай, передай! — раздавалось по цепи, и удары становились всё чаще и сильнее.

Дуболомы пришли в азарт. Дубинки колотили по крашеным спинам, некоторые солдаты падали...

Много времени прошло, прежде чем Урфину удалось навести порядок, и потрёпанное деревянное войско выбралось на поляну посреди кустов, где был устроен привал.

После отдыха Урфин Джюс повёл армию дальше на север.

* * *

Читатель, конечно, давно уж догадался, что о всех злоключениях деревянной армии Страшила быстро узнавал от связистов Кагги-Карр. Случай с оврагом заставил было правителя обрадоваться и подумать, что Урфин прекратит поход на Изумрудный город и поведёт своих бестолковых солдат обратно. Но когда через несколько дней голубая сойка донесла, что дуболомы отремонтированы и армия уже строит мост через второй овраг, Страшила понял, что Урфин Джюс — упорный, опасный враг и никакие препятствия не остановят его на пути к цели.

Приключение на Большой реке подтвердило такое мнение. Да, ничего не оставалось подданным Страшилы, как только готовить свой прекрасный город к обороне. И они работали самоотверженно, не жалея сил. Каменщики поднимали стены, кровельщики укрепляли ворота, горожане таскали на носилках груды булыжника и кирпича. Повсюду мелькали энергичные, подтянутые фигуры Страшилы, Дина Гиора, Фараманта. Кагги-Карр принимала рапорты от то и дело прилетавших курьеров.

В город мчались повозки с провизией, запряжённые маленькими лошадками. Галопом, задрав хвосты, скакали коровы, подгоняемые пастухами.

Перейдя Большую реку, армия Урфина вступила в совершенно пустынный край. Здесь всё было зелёное: и богатые дома жителей, стоявшие по краям дороги, и изгороди, и дорожные указатели. Но жители, предупреждённые вестниками Страшилы, покинули свои жилища. Боеспособные мужчины ушли защищать город, а старики, женщины и дети, захватив провизию и домашний скот, попрятались в лесных убежищах.

Урфин понял, что о его приближении известно Страшиле, и изо всех сил подгонял своих неутомимых, усердных солдат.

Успеют ли защитники Изумрудного города подготовиться к встрече ужасного врага? Вот в чём был вопрос.

ИСТОРИЯ ВОРОНЫ КАГГИ-КАРР

Мысль добыть мозги подсказала Страшиле ворона Кагги-Карр, немножко болтливая и сварливая, но в общем добродушная птица. Здесь необходимо рассказать, что с ней произошло после того, как Элли сняла Страшилу с шеста в пшеничном поле и увела с собой в Изумрудный город.

В этот раз Кагги-Карр не полетела за Элли и Страшилой. Она сочла пшеничное поле своей законной добычей и осталась на нём жить в многочисленной компании ворон, галок и сорок. Она управлялась так хорошо, что, когда фермер явился убирать урожай, он нашёл там одну солому.

— Вот и чучело не помогло, — горестно вздохнул фермер и, не интересуясь судьбой исчезнувшего Страшилы, ни с чем отправился домой.

А через некоторое время до Кагги-Карр по птичьей почте дошли вести, что какое-то чучело после отъезда великого волшебника Гудвина сделалось правителем Изумрудного города. Так как вряд ли в Волшебной стране нашлось бы другое живое чучело, то Кагги-Карр справедливо решила, что это и есть то самое, которому она посоветовала искать мозги.

За такую прекрасную идею следовало потребовать награду, и ворона, не теряя времени, полетела в Изумрудный город. Добиться приёма у Страшилы Мудрого оказалось не так-то легко: Дин Гиор не хотел пропускать к нему простую ворону, как он сказал.

Кагги-Карр страшно возмутилась.

58

— Простая ворона! — воскликнула она. — Да знаешь ли ты, Длинная Борода, что я самая старинная приятельница правителя, что я, можно сказать, его воспитательница и наставница и без меня он никогда не достиг бы своего выдающегося поста! И если ты немедленно не доложишь обо мне Страшиле Мудрому, то тебе несдобровать.

Длиннобородый Солдат доложил о вороне правителю и, к своему большому изумлению, получил приказ немедленно ввести её и оказать ей придворные почести.

Признательный Страшила навсегда запомнил ворону, оказавшую ему такую услугу. Он принял Кагги-Карр в присутствии придворных с огромной радостью. Правитель спустился с трона и прошёл на своих мягких слабых ногах три шага навстречу гостье. В летописях его двора это было записано как величайший почёт, когда-либо кому-либо оказанный!

По приказу Страшилы Мудрого Кагги-Карр была занесена в число придворных с чином первого отведывателя блюд дворцовой кухни. Сам Страшила не нуждался в пище, но держал открытый стол для своих придворных. Так как при Гудвине такого обычая не водилось, то придворные громко хвалили нового правителя за щедрость.

Тогда же Кагги-Карр было отведено во владение превосходное пшеничное поле неподалёку от стен города.

ОСАДА ИЗУМРУДНОГО ГОРОДА

Кагги-Карр, не довольствуясь своей важной должностью начальника связи, решила доказать Урфину Джюсу, что Изумрудный город — не такая лёгкая добыча, как он полагает. И доказать это должна была птичья рать, созванная вороной со всей страны.

В ожидании вражеского нашествия птицам надо было кормиться, и Кагги-Карр щедро предоставила им своё пшеничное поле. Она знала, что там не останется ни зёрнышка, но чем не пожертвуешь для свободы родной страны!

И вот на дороге, вымощенной жёлтым кирпичом, в миле от города показались громко топавшие деревянные люди со свирепыми лицами. Кагги-Карр тотчас отправила к Страшиле с донесением расторопного воробья, а сама повела своё воинство на врага.

Огромная стая галок, сорок и воробьёв налетела на солдат Урфина Джюса. Птицы метались перед их лицами, царапали когтями спины, садились на головы, стараясь выклевать стеклянные глаза.

Кагги-Карр смело напала на самого Лана Пирота.

Дуболомы напрасно размахивали саблями и дубинками, птицы ловко увёртывались, и удары попадали не туда, куда следует. Голубой солдат ткнул в руку зелёного, и тот, рассердившись, накинулся на него. А когда капрал Гитон бросился их разнимать, оранжевый дуболом, целясь в галку, отсёк капралу ухо.

Завязалась всеобщая свалка. Урфин Джюс кричал и топал ногами. Топотун дико ревел и раздавал солдатам оплеухи направо и налево, пытаясь вбить в них дисциплину.

Да, по этой слишком горячей встрече Урфин Джюс понял, что перед ним стоит нелёгкая задача. Какие-то ничтожные птицы, даже не орлы и ястребы, а сороки и вороны, сумели устроить такую суматоху в его армии, а ведь впереди — городские стены и на них люди, которые будут отчаянно защищать свою свободу.

Наконец порядок был восстановлен, птицы отогнаны, и армия нестройно двинулась к воротам.

На городской стене стояли Страшила со своим штабом и многочисленный отряд бойцов. Среди горожан особенно суетился краснолицый Руф Билан, призывая сограждан храбро защищать родной город, хотя в его призывах никто не нуждался.

Правитель и его советники внимательно разглядывали деревянную армию, приводившую себя в порядок. Они не обольщались первым маленьким успехом, понимая, что впереди — жестокая упорная борьба. Они выжидали, не предпринимая никаких военных действий.

Урфин Джюс неверно принял их бездействие за нерешительность. Он подошёл с белым флагом к воротам и позвонил в колокол.

— Кто там? — спросил Страшила.

— Это я — могущественный Урфин Джюс, правитель Голубой страны Жевунов.

— Что вам нужно?

— Я хочу, чтобы Изумрудный город сдался и признал меня своим повелителем.

— Этого не будет, — с достоинством возразил Страшила.

— Тогда я возьму ваш город приступом, и никому из вас не будет пощады.

— Попробуйте, — сказал правитель. Горожане поддержали его дружным гулом.

Урфин отступил от стены и отправил капрала Бефара с его взводом в ближайшую рощу. Там они свалили длинное дерево, очистили его от сучков и под предводительством Урфина Джюса и генерала дви-

нулись к стене. Выстроившись в два ряда, дуболомы размахнулись столбом, как тараном,
и ударили в ворота. Ворота затрещали.

И тут сверху полетели поленья, булыжни-
ки и обломки кирпичей. Один камень попал
в плечо Урфину Джюсу и опрокинул его
на землю. В непокрытую голову генерала
угодило полено. На палисандровой голове
Лана Пирота образовалась вмятина, а от
неё побежали во все стороны трещины.

Урфин Джюс вскочил и пустился прочь
от ворот, за ним по пятам следовал палисандровый генерал. Этого оказалось достаточно. Видя, что предводители бегут,
дуболомы немедленно повернули и побежали за ними.

Вперемежку, натыкаясь друг на друга, сбивая один другого с ног, перескакивая через упавших и бросая на бегу дубинки и сабли, неслись капралы, рядовые, сзади с рёвом скакал испуганный Топотун. Их сопровождал оглушительный хохот горожан.

Войско остановилось вдали от стен города. Урфин Джюс тёр плечо и сердито бранил генерала за трусость, а тот оправдывался тяжёлой раной, щупая разбитую палисандровую голову.

— Вы ведь тоже отступили, повелитель, — говорил Лан Пирот.

— Вот дерево, — возмутился Урфин Джюс. — Вашу голову я заделаю, отполирую, и она станет как новенькая, а если мне голову пробьют, это смерть!

— А что такое смерть?

— Тьфу!

Урфин не стал больше разговаривать с генералом. Дело кончилось тем, что во всём обвинили солдат, и на них посыпались удары дубинок.

На следующий приступ армия не решилась, и был разбит лагерь вдалеке от ворот.

Началась осада города. Два или три раза деревянные солдаты приближались к воротам и всякий раз отступали, когда на них летели со стены камни.

Казалось, осаду можно было выдерживать до бесконечности. Но в защите города обнаружилось слабое место. Непривычных к военной службе горожан сломили усталость и тоска о семьях, покинувших город. Ночью их одолевал сон, и, хотя фельдмаршал Дин Гиор ввёл дежурства, дежурные тоже сваливались с ног. Страшила, никогда не устававший и не спавший, решил взять ночной досмотр на себя. Это принесло большую пользу в первую же ночь.

Страшила сидел на стене и смотрел в поле своими бессонными нарисованными глазами. И он увидел, как в лагере Урфина Джюса началась подготовка к штурму.

Не слыша за стеной никакого движения, враги стали незаметно подкрадываться к воротам. Они несли ломы и топоры, захваченные на ближайших фермах. Страшила разбудил бойцов, на головы нападающих посыпались поленья, камни, и армия Урфина Джюса бежала.

Страшила, обняв своими мягкими руками верных помощников Дина Гиора и Фараманта, рассуждал:

— Если бы я был на месте Урфина Джюса, я приказал бы своим солдатам защищать головы от камней деревянными щитами. И я уверен, что они так и сделают. Под прикрытием щитов они смело могут ломать ворота.

— Но как же тогда быть, правитель? — спросил Дин Гиор.

— Эти деревянные люди должны бояться того же, чего боюсь и я, — задумчиво сказал Страшила, — огня. А поэтому надо заготовить на стене побольше соломы и держать под руками спички.

Догадки Страшилы Мудрого оказались совершенно верными. Через некоторое время, в самый глухой час ночи, начался новый приступ. Солдаты Урфина Джюса подкрадывались к стене, держа над головами половинки от ворот, снятых на фермах. И тут на них полетели охапки горящей соломы. Деревянные солдаты уже потерпели бедствие от воды, так как не знали, что это такое. Они и об огне не имели понятия: пока Урфин Джюс их делал, он очень боялся пожара и даже не топил в доме печь. Теперь эта осторожность обернулась против него.

Горящая солома падала на землю, на щиты, которыми прикрывались дуболомы. А те с любопытством глядели на невиданное зрелище. Языки пламени в ночной темноте казались им удивительными яркими цветами, выраставшими с необычайной быстротой. Дуболомы даже и не думали защищаться от огня. Наоборот, некоторые совали в пламя руки и, не чувствуя боли, с глупым видом наблюдали, как на кончиках пальцев расцветают красные цветы. И уже несколько деревянных людей пылали, распространяя удушливый запах горелой краски...

Урфин Джюс видел, что его деревянной армии грозит нечто более ужасное, чем приключение на реке. Но что делать? Воды поблизости не было.

Выход подсказал Гуамоко.

— Забрасывай землёй! — крикнул он растерявшемуся Урфину.

Первым за дело принялся Топотун. Сбив с ног капрала, у которого горела голова, медведь стал рыть землю мощными лапами и заваливать пламя. Потом и сами дуболомы поняли опасность и начали отбегать от горевшей соломы.

Армия отступила от ворот города с большим уроном. У нескольких дуболомов головы обгорели до того, что их надо было заменять новыми. У иных вывалились глаза, обгорели уши, а многие лишились пальцев...

— Эх, дуболомы, дуболомы! — вздыхал завоеватель. — Всем вы хороши: сильны, храбры, неутомимы... Вот только ума бы вам побольше!

Но чего нет, того нет!

Урфину Джюсу стало ясно, что Изумрудный город можно взять только измором. Это же было ясно и Страшиле. Он устроил военный совет, в котором участвовала и Кагги-Карр.

Страшила думал так напряжённо, что у него из головы полезли булавки и иголки и голова стала похожа на ежа с железной щетиной. Он заговорил:

— Урфин Джюс привёл с собой много солдат, но они все деревянные. Мой друг Дровосек, правитель страны Мигунов, один, но он железный. Железо не рубят деревом, а дерево рубят железом. Значит, железо крепче дерева, и если Железный Дровосек вовремя подоспеет к нам на помощь, он разобьёт деревянную армию Урфина.

Ворона отозвалась:

— Ты совершенно прав, друг мой, и я уже давно послала за ним воздушных гонцов. Но, к сожалению, Дровосек проходит профилактический ремонт, и этот ремонт у него что-то затянулся.

— Как, как ты сказала? — встрепенулся Страшила. — Профила... Повтори!

— Профилактический.

— О, какое хорошее слово. А что оно означает?

— Ну, как тебе сказать? — замялась ворона. — Ну, это такое, что делается на всякий случай, чтобы чего-нибудь не вышло.

— Про-фи-лак-ти-чес-кий, — медленно произнёс по складам Страшила, и видно было, что это слово он запомнил крепко и при случае будет его употреблять. Такая привычка появилась у правителя в последнее время: она придавала его речам очень учёный оттенок.

Так как из всех членов штаба только Кагги-Карр могла быстро и безопасно совершить путешествие в Фиолетовую страну, то её и отправили с поручением поторопить Железного Дровосека. Она обещала нигде не задерживаться и как можно скорее вернуться с подмогой.

ИЗМЕНА

Прошло ещё два дня. Попытки Урфина взять город штурмом успеха не имели. После каждой атаки Джюсу приходилось становиться за походный верстак и чинить поломанных солдат. Неудачливый завоеватель решил посоветоваться с Ланом Пиротом и филином Гуамоко. Расположившись вдалеке от городской стены под большим деревом, они разговаривали тихими голосами.

— Генерал, я прихожу в отчаяние, — признался Урфин Джюс. — Мы семь раз штурмовали город и днём и ночью, и все атаки отбиты с большим для нас уроном. Я не успеваю починять искалеченных дуболомов.

— Настоящий солдат должен рваться в бой даже без головы! — браво возразил Лан Пирот.

— Не представляю себе, как могут драться безголовые солдаты, — усомнился Джюс.

— Усердие всё превозмогает!

— Гм... Не думаю. Однако попробую я ещё раз уговорить Страшилу сдаться. — Размахивая белым флагом, Урфин направился к стене. — Послушайте, ваше превосходительство, господин правитель, в последний раз предлагаю вам капитулировать.

— Ка-пи-ту-ли-ро-вать? Звонкое слово! А что оно означает?

— А то, что вы должны сдаться. И тогда я обойдусь с вами милостиво, вы станете моим заместителем.

— Послушайте, Урфин, — спросил Страшила, — разве у ваших дуболомов уже выросли крылья?

— Господин правитель, я вас не понимаю.

— Но ведь это очень просто. Чтобы взлететь на стену, ваши солдаты должны превратиться в птиц, а им, по-моему, до этого ещё далеко.

— Хо-хо-хо! — разразился смехом Руф Билан. — Наш правитель — гениальный остряк! Завидую вашим удивительным мозгам, господин Страшила!

Урфин возвратился к своим собеседникам.

— Я пригрозил Страшиле новым штурмом, но понимаю, что это бесполезно, — со вздохом сказал Урфин. — Стены города подняты, бреши заделаны, ворота укреплены, запас метательных орудий неисчерпаем. Проклятые птицы сделали своё дело, предупредив горожан о нашем нашествии. Нам остаётся лишь одно: обложить город и дожидаться, когда его жители начнут умирать с голоду.

— Это не поможет, повелитель, — возразил Гуамоко. — Ночью я летал в город на разведку и убедился, что там полным-полно продовольствия: амбары завалены мукой, бочками масла и сыра, на площадях стада коров...

— Проклятый Страшила, он всё предусмотрел, — простонал Джюс.

Филин слетел с дерева, сел Урфину на плечо и тихо сказал:

— Он предусмотрел всё, кроме измены...

— Измены?! — вскрикнул Урфин.

— Тише, повелитель! Видишь вон того краснолицего толстяка, который больше всех суетится на стене и славит Страшилу?

— Вижу. Ну и что?

— Это — Руф Билан, смотритель дворцовой умывальни. Когда я был на разведке, я отдыхал на балконе его дома. Он разговаривал с приятелем и всячески проклинал Страшилу. Руф Билан богат, он знатного рода и сам метил в правители Изумрудного города. Но Гудвин назначил своим преемником не его, а Страшилу, и с тех пор Билан ненавидит соломенного человека и с радостью предаст его врагу.

Урфин страшно обрадовался.

— Твои сведения бесценны, мой дорогой Гуамоколатокинт! Этой же ночью лети в город, соблазни Билана, обещай, что он будет моим главным государственным распорядителем и что я... Словом, плети ему что хочешь, лишь бы он перешёл на мою сторону...

— Я добьюсь этого, повелитель, — заверил филин, — и думаю, что мне не придётся очень уж стараться.

Трубач заиграл вечернюю зорю.

Урфин важно направился в свою палатку, сопровождаемый Топотуном, филином и почётным караулом из дуболомов. Солдаты отдавали ему честь, и лицо Урфина раскраснелось от счастья.

* * *

В эту ночь Страшила, по обыкновению, бодрствовал на стене один, а его бойцы крепко спали. И тут к правителю подкралась сзади какая-то тень. Произошла короткая борьба, и слабые мягкие руки Страшилы были опутаны верёвкой.

Через минуту скрипнула калитка и показался коротенький коренастый человек. Он двинулся вперёд, но к нему навстречу уже спешил Урфин Джюс.

— Если не ошибаюсь, господин Руф Билан? — спросил Урфин.

— Так точно, мой милостивый повелитель. Филин Гуамоко передал мне ваши предложения, и вот я здесь.

— Но как вам удалось выполнить свой замысел?

— Очень просто, — хихикнул Билан. — Мой слуга принёс очередной смене защитников угощение: бочонок вина, а в него было подмешано сонное зелье.

72

— Браво, браво! — восхитился Джюс. — Вы человек в моём вкусе, и я назначаю вас главным государственным распорядителем.

Билан поклонился до самой земли.

— Благодарю, ваше величество! Я рождён для высокой должности и буду нести её с честью.

Армия Урфина двинулась в широко раскрытые ворота Изумрудного города.

Утром жители проснулись при звуке трубы, выглянули в окна и услышали, как глашатай, в котором они узнали слугу Билана, объявил, что отныне Изумрудным городом правит могущественный Урфин Джюс, которому все должны оказывать беспрекословное повиновение под страхом суровой кары.

Страшила Мудрый сидел в это время в дворцовом подвале. Его не столько мучило сожаление об утраченной власти, сколько мысль о том, что Железный Дровосек, явившись к нему на выручку, попадёт в беду.

И не было никакой возможности предупредить друга! Фарамант и Дин Гиор, заключённые в том же подвале, напрасно старались утешить бывшего правителя.

ЖЕЛЕЗНЫЙ ДРОВОСЕК ПОПАДАЕТ В ПЛЕН

На следующий день по улице снова прошёл глашатай. Он объявил, что жители Изумрудного города, которые пожелают служить могущественному Урфину Джюсу, будут приняты им милостиво и получат должности при дворе.

Таких желающих оказалось немного. Кроме Руфа Билана, нашлось всего несколько человек такого же сорта — из самых неуважаемых в городе людей.

Руф Билан получил должность главного государственного распорядителя, что равнялось рангу первого министра, но, когда он напомнил правителю обещание щедро наградить его золотом, Урфин Джюс очень удивился. Филин, вероятно, что-то напутал, ничего такого ему не поручали говорить.

Остальные, переметнувшиеся на сторону Урфина Джюса, тоже получили должности распорядителей и смотрителей... Но их было слишком мало, чтобы образовать пышный двор, о каком мечтал Урфин Джюс. Напрасно он отправлял посланцев к бывшим придворным Страшилы. Те хоть и привыкли торчать по целым дням во дворце, болтать всякий вздор и пересмеиваться, считая при этом, что заняты важными государственными делами, однако на приглашение Урфина Джюса не откликнулись.

Новых придворных все презирали. Но особенное презрение и даже ненависть заслужил Руф Билан, потому что стало известно о его измене.

С тех пор он осмеливался ходить по городу только в сопровождении двух дуболомов. Пришлось дать провожатых и другим советникам.

74

От Руфа Билана правитель узнал, что Страшила послал ворону за Железным Дровосеком. Урфин Джюс высчитал, когда должен явиться Дровосек. Для него приготовили засаду.

Место Фараманта в будке у ворот занял Руф Билан, сменивший на этот случай пышное придворное одеяние на простой кафтан. Под аркой ворот притаился взвод деревянных солдат под командой капрала Арума. Они ждали Дровосека с верёвками в руках...

Кагги-Карр долетела до страны Мигунов без всяких задержек. Она нашла правителя на дороге с большим кузнечным молотом в руках.

За несколько месяцев перед этим, когда Мигуны просили Железного Дровосека править их страной, они говорили так:

— Такой правитель, как вы, будет для нас очень удобен: вы не едите, не пьёте и, значит, не будете обременять нас налогами...

Мигуны получили больше, чем ожидали. Железный Дровосек не только не собирал налоги со своих подданных, но, наоборот, сам работал на них. Скучая по Элли, Страшиле и Смелому Льву и не привыкнув жить в безделье, Дровосек с утра отправлялся в поле, дробил там большие камни и мостил ими дороги. Мигуны получали сразу две выгоды: их поля очищались от камней, и во все концы страны пролегали прекрасные, прочные пути сообщения.

Узнав от Кагги-Карр, что Страшиле грозит опасность, Железный Дровосек не мешкал ни минуты. Он отшвырнул в сторону молот, сбегал во дворец за топором и отправился в путь. Ворона примостилась у него на плече и подробно рассказывала невесёлые новости.

Мигуны тёрли глаза и грустно мигали, провожая своего любимого правителя.

...Железный Дровосек подходил к Изумрудному городу. Всё вокруг было спокойно, лагерь Урфина Джюса исчез, ворота заперты, как обычно.

Дровосек заколотил в калитку, в маленьком окошке появилось багровое лицо Руфа Билана.

— А где Фарамант? — удивился Дровосек.

— Он болен, я его заменяю.

— Что у вас тут происходит?

— Да так, ничего особенного. Подходили неприятели, но мы их отбили с большим для них уроном, и они ушли.

— Как Страшила?

— Бодр и весел, ждёт встречи с вами, уважаемый господин Дровосек! Прошу вас, входите!

Руф Билан приоткрыл калитку. И лишь только Железный Дровосек ступил в темноту арки, как из его рук был вырван топор, а туловище опутали верёвки.

После недолгой ожесточённой борьбы Железный Дровосек был повален на землю и связан. Кагги-Карр с резким криком «Измена!» сумела увернуться от дуболомов и взлетела на стену.

Кагги-Карр видела, как обезоруженного Дровосека со связанными руками повели во дворец. Немногие жители, оставшиеся в городе, сквозь приоткрытые окна смотрели на него с сочувствием и жалостью.

Ворона издали следовала за печальным шествием и пристроилась на карнизе дворца, у раскрытого окна тронного зала. Отсюда она видела и слышала всё, что здесь происходило.

Урфин Джюс в роскошной мантии сидел на троне, украшенном изумрудами; его мрачные глаза под сросшимися чёрными бровями блестели торжеством. Немногочисленная кучка придворных теснилась возле трона. По сторонам залы, как статуи, стояли жёлтые и зелёные деревянные солдаты, сверкая свежими заплатками.

Ввели Железного Дровосека; он шёл спокойно, и узорчатый паркет сотрясался под его тяжкими шагами. Сзади два солдата тащили огромный блистающий топор.

Урфин Джюс содрогнулся при мысли о том, что мог сделать с его армией этот богатырь, если бы его не схватили обманом. Железный Дровосек бесстрашно встретил испытующий взгляд диктатора, а тот сделал знак Билану, и предатель рысцой выбежал из залы.

Через несколько минут ввели Страшилу. Железный Дровосек взглянул на его разорванное платье, из которого торчали клочки соломы, на его бессильно опущенные руки, и ему стало невыносимо жаль друга, недавнего правителя Изумрудного города, гордившегося полученными от Гудвина замечательными мозгами. Из глаз Железного Дровосека потекли слёзы.

— Осторожнее, ведь при тебе нет маслёнки! — в испуге закричал Страшила. — Ты заржавеешь!

— Прости, друг! — сказал Железный Дровосек. — Я попал в подлую ловушку и не смог выручить тебя.

— Нет, это ты прости меня за то, что я так необдуманно послал за тобой, — возразил Страшила.

— Довольно нежностей! — грубо закричал Урфин Джюс. — Сейчас речь не о том, кто из вас перед кем виноват, а о вашей судьбе. Согласны ли вы служить мне? Я дам вам высокие должности, сделаю вас своими наместниками, и вы по-прежнему станете управлять странами, но только под моим верховным владычеством.

Страшила и Железный Дровосек переглянулись и в один голос ответили:

— Нет!

— Вы ещё не опомнились от своего поражения и не соображаете, что говорите, — злобно сказал Урфин Джюс. — Подумайте о том, что я могу вас уничтожить, и ответьте мне снова!

— Нет! — повторили Дровосек и Страшила.

— Я дам вам время одуматься, поразмыслить над своим положением. Завтра в это же время вы снова предстанете передо мной. Эй, стража, отвести их в подвал!

Солдаты под предводительством краснолицего капрала повели пленников, а Кагги-Карр полетела в лес и там кое-как утолила голод. На следующее утро она ждала на карнизе дворца, когда пленников приведут в тронный зал.

Железный Дровосек и Страшила снова ответили Урфину Джюсу решительным отказом.

И на третий день пленники опять появились перед разъярённым диктатором.

— Нет, нет и нет! — было их окончательное решение.

— Пр...р...авильно! Ур...р...фин... др...р..янь!.. — донёсся от окна ликующий возглас.

Кагги-Карр не могла не высказать своё мнение. По приказу Урфина придворные бросились ловить ворону, но напрасно. Кагги-Карр взлетела на верхний карниз окна с насмешливым карканьем.

— Вот моё решение! — сказал Урфин Джюс, и в зале наступила тишина. — Страшилу я мог бы сжечь, а Железного Дровосека перековать на гвозди, но я оставляю им жизнь...

Придворные принялись громко восхвалять великодушие правителя.

Урфин продолжал:

— Да, дерзкие упрямцы, я оставляю вас жить, но только на полгода. Если по истечении шести месяцев вы не покоритесь моей воле, вас ждёт гибель! А пока вы будете находиться в заключении, и не в подвале, а на высокой башне, где каждый может вас видеть и, увидев, убедиться в могуществе Урфина Джюса. Убрать их! — обратился повелитель к страже.

Громко топая ногами, дуболомы увели пленников.

Невдалеке от Изумрудного города стояла старинная башня, воздвигнутая давным-давно каким-то королём или волшебником. Когда Гудвин построил тут город, он пользовался башней как наблюдательным постом. На башне всегда стояли часовые и смотрели, не приближается ли к городу какая-нибудь злая волшебница. Но с тех пор как Элли истребила злых волшебниц и Гудвин покинул страну, башня утратила своё значение и стояла одинокая и угрюмая, хотя ещё прочная.

Внизу башни была дверь, от неё узкая и пыльная винтовая лестница вела на верхнюю площадку. По приказу правителя площадку накрыли сверху черепичным колпаком. Урфин Джюс не хотел, чтобы Дровосек заржавел от дождя, а Страшила лишился лица — ведь это помешает им пойти на службу к новому правителю.

Дуболомы отвели на башню Страшилу и Железного Дровосека, у которого руки были по-прежнему связаны. Тюремщики, зная про его силу, боялись Дровосека даже безоружного.

Оставшись одни, друзья огляделись. На юге были видны зелёные домики фермеров, окружённые садами и полями, и между ними вилась и кончалась у ворот города свидетельница многих историй и приключений — дорога, вымощенная жёлтым кирпичом.

На севере раскинулся Изумрудный город. Так как стена его по высоте уступала тюремной башне, то можно было различить дома, почти сходившиеся кровлями над узкими улицами, главную

площадь, где прежде били фонтаны; виднелись и шпили дворца, украшенные огромными изумрудами.

Страшила и Дровосек разглядели, что фонтаны уже не работали, а по шпилям ползали какие-то фигурки, подбираясь к изумрудам.

— Любуетесь? — раздался резкий голос. Страшила и Дровосек обернулись. Перед ними была Кагги-Карр.

— Что там такое делается? — спросил Страшила.

— Простая вещь, — насмешливо ответила ворона. — По приказу нового правителя все изумруды с башен и стен будут сняты и поступят в личную казну Урфина Джюса. Наш Изумрудный город перестанет быть изумрудным. Вот что там делается!

— Проклятье! — воскликнул Железный Дровосек. — Хотел бы я оказаться лицом к лицу с этим Урфином Джюсом и его деревяшками и чтобы в моей руке был топор! Уж я бы позабыл для такого случая, что у меня мягкое сердце!

— Для этого надо действовать, а не сидеть со связанными руками, — ехидно сказала ворона.

— Я попробовал развязать Дровосеку руки, да у меня не хватило силы, — смущённо признался Страшила.

— Эх ты! Смотри, вот как надо!

Кагги-Карр заработала своим крепким клювом, и через несколько минут верёвки свалились с Дровосека.

— Как хорошо! — Дровосек с наслаждением потянулся. — Я был всё равно как заржавленный... Теперь спустимся вниз? Я уверен, что смогу сломать дверь.

— Бесполезно, — сказала ворона. — Там стоят на карауле деревянные солдаты с дубинками. Надо придумать что-то другое.

— Выдумки — это дело Страшилы, — молвил Железный Дровосек.

— Ага, я тебе всегда говорил, что мозги лучше сердца! — воскликнул польщённый Страшила.

— Но и сердце — тоже стоящая вещь, — возразил Дровосек. — Без сердца я был бы никуда не годным человеком и не мог бы любить свою невесту, оставленную в Голубой стране.

— А мозги... — снова начал Страшила.

— Мозги, сердце, мозги! — сердито оборвала ворона. — Только одно это от вас и слышишь! Тут не спорить надо, а действовать.

Кагги-Карр была несколько ворчливая птица, но превосходный товарищ. Чувствуя её правоту, друзья не обиделись, и Страшила начал думать.

Думал он долго, часа три. Иголки и булавки от напряжения далеко высунулись из его головы, и Дровосек тревожился, что, быть может, это вредно его другу.

— Нашёл! — крикнул наконец Страшила и хлопнул себя по лбу с такой силой, что в ладонь вонзилось с десяток булавок и иголок.

Ворона, тем временем сладко дремавшая, проснулась и сказала:

— Говори!

— Надо послать письмо в Канзас, к Элли. Она очень сообразительная девочка, обязательно что-нибудь придумает.

— Хорошая мысль, — насмешливо протянула Кагги-Карр. — Интересно только, кто понесёт письмо?

— Кто? Да ты, конечно! — ответил Страшила.

— Я? — изумилась Кагги-Карр. — Мне лететь через горы и пустыни в незнакомую страну, где птицы лишены дара речи? Хорошая выдумка!

— Если ты не согласна, — сказал Страшила, — мы не будем настаивать. Мы пошлём в Канзас другую ворону, помоложе тебя.

Кагги-Карр возмутилась:

— Другую? Помоложе?! Если мне исполнилось всего сто два года, вы уже готовы называть меня старухой? Так знайте, что у нас, ворон, такой возраст считается совсем юным. И что сделает другая ворона? Во-первых, она заблудится и не доберётся до Канзаса. Во-вторых, она не найдёт в Канзасе Элли, потому что не видела её. В-третьих... Словом, письмо понесу я.

Железный Дровосек сказал:

— Для письма нужен мягкий, но прочный древесный лист, который можно будет обвязать вокруг твоей ноги. И, кроме того, требуется иголка.

— Иголку я могу выдернуть из своей головы, — сказал Страшила, — у меня их там достаточно.

Ворона улетела и вернулась с большим гладким листом. Страшила протянул лист и иголку Железному Дровосеку:

— Пиши!

Тот изумился:

— Но я думал, что писать будешь ты. Ведь ты же придумал отправить письмо!

84

— Когда я придумывал это, я рассчитывал на тебя. Сам-то я ещё не научился писать.

— И я не удосужился за государственными делами, — признался Дровосек. — Как же теперь быть?

— Мы не напишем письмо, а нарисуем! — догадался Страшила.

— Я не понимаю, как можно нарисовать письмо, — сказал Железный Дровосек.

— Нужно нарисовать меня и тебя за решёткой. Элли умная девочка, она сразу поймёт, что мы в беде и просим помощи.

— Правильно, — обрадовался Дровосек. — Рисуй!

Но у Страшилы ничего не вышло. Игла выскальзывала из его мягких непослушных пальцев, и он не мог провести самой простой черты. За дело взялся Железный Дровосек. Он сам не ожидал, что у него получится так хорошо: видно, он имел прирождённый талант к рисованию.

Страшила выдернул из полы своего кафтана длинную нитку, лист обмотали вокруг ноги Кагги-Карр, крепко привязали, ворона попрощалась с друзьями, проскользнула сквозь прутья решётки, взмахнула крыльями и скоро исчезла в голубой дали.

НОВЫЙ ПРАВИТЕЛЬ ИЗУМРУДНОЙ СТРАНЫ

Овладев Изумрудным городом, Урфин Джюс долго думал над тем, как ему именоваться, и в конце концов остановился на титуле, который выглядел так: Урфин Первый, могущественный Король Изумрудного города и сопредельных стран, Владыка, сапоги Которого попирают Вселенную.

Первыми услышали новый титул Топотун и Гуамоко. Простодушный медведь бурно восхищался звонкими словами королевского именования, но филин загадочно прищурил жёлтые глаза и коротко сказал:

— Сначала пусть этот титул научатся произносить придворные.

Джюс решил последовать его совету. Он позвал в тронный зал Руфа Билана и ещё нескольких придворных высших чинов и, трепеща от гордости, дважды произнёс титул. Затем он приказал Билану:

— Повторите, господин главный государственный распорядитель!

Коротенький и толстый Руф Билан побагровел от страха перед суровым взглядом повелителя и забормотал:

— Урфин Первый, могучий Король Изумрудного города и самодельных стран, Владетель, сапоги Которого упираются во Вселенную...

— Плохо, очень плохо! — сурово сказал Урфин Джюс и обратился к следующему: — Теперь вы, смотритель лавок городских купцов и лотков рыночных торговок!

86

Тот, заикаясь, заговорил:

— Вас следует называть Урфин Первый, преимущественный Король Изумрудного города и бездельных стран, Которого сапогами попирают из Вселенной...

Послышался хриплый, удушливый кашель. Это филин Гуамоко старался скрыть овладевший им безудержный смех.

Весь красный от гнева, Урфин выгнал придворных.

Проведя в раздумье ещё несколько часов, он сократил титул, который отныне должен был звучать так: «Урфин Первый, могучий Король Изумрудного города и всей Волшебной страны».

Придворные были снова собраны, и на этот раз испытание прошло благополучно. Новый титул был объявлен народу, и искажение его стало приравниваться к государственной измене.

По случаю присвоения Урфину королевского титула было назначено грандиозное народное торжество. Зная, что никто из жителей города и окрестностей на него добровольно не явится, главный распорядитель и генерал Лан Пирот приняли свои меры. Накануне праздника, ночью, когда все спали, по домам пошли дуболомы. Они будили жителей и полусонных тащили на дворцовую площадь. Там они могли досыпать или бодрствовать по желанию, но уйти оттуда не могли.

И поэтому, когда Урфин в роскошной королевской мантии появился на балконе дворца, он увидел на площади огромную толпу народа. Раздались жиденькие крики «Ура!», это кричали приспешники Урфина и деревянные солдаты.

Грянул оркестр. Но это был не тот оркестр, искусная игра которого славилась в стране. Несмотря на угрозы, музыканты отказались играть, и инструменты были переданы придворным и деревянным солдатам. Дуболомы получили ударные инструменты: барабаны, тарелки, треугольники, литавры. А придворным дали духовые: трубы, флейты, кларнеты.

И как играл этот созданный по приказу оркестр!

Трубы хрипели, кларнеты визжали, флейты завывали, как разъярённые коты, барабаны и литавры били не в лад. Впрочем, дуболомы так усердно лупили палками по барабанам, что кожа их лопнула, и барабаны замолчали. А медные тарелки сразу треснули и начали дико дребезжать. И тогда народом, собранным на площади, овладело необузданное веселье. Люди корчились от смеха, зажимали себе рты ладонями, но неистовый хохот прорывался наружу. Иные падали на землю и валялись в изнеможении.

Придворный летописец записал в книгу, что это народное веселье было признаком радости от восхождения на престол могущественного короля Урфина Первого.

Церемониал закончился приглашением всех желающих на пир, который состоится во дворце короля.

Урфин, несмотря на все настояния филина Гуамоко, никак не мог решиться проглотить хотя бы одну пиявку или съесть мышь — эту обычную пищу волшебников. И он задумал ловкий обман.

Накануне пира повар Балуоль был вызван к Урфину и имел с ним долгий разговор наедине. Уходя от правителя, толстяк корчил страшные гримасы, силясь подавить распиравший его смех. Повар дорого дал бы за возможность раскрыть кому-либо тайну, связавшую его с Урфином. Но увы! Это было запрещено ему под страхом смерти. Балуоль выгнал из кухни поварят, закрыл дверь и принялся за стряпню.

Пир подходил к концу. Придворные осушили немало бокалов за здоровье императора.

Урфин восседал во главе стола, на троне Гудвина, который нарочно перенесли сюда из тронного зала, чтобы всегда напоминать о величии завоевателя. Изумруды были вынуты отовсюду, кроме трона, и когда на нём восседал Урфин Джюс, сияние драгоценных камней делало выражение мрачного сухого лица диктатора ещё более неприятным.

На спинке трона сидел филин Гуамоко, сонно прикрыв жёлтые глаза. А сбоку стоял медведь Топотун, зорко присматриваясь к пирующим, чтобы наказать любого, кто не окажет должного почтения повелителю. Дверь раскрылась, вошёл толстый повар, неся на золотом подносе два блюда.

— Любимые кушанья вашего величества готовы! — громко возгласил он и поставил блюда перед королём.

Придворных затрясло, когда они увидели, что принёс повар. На одном блюде возвышалась горка копчёных мышей с хвостиками винтом, на другом лежали чёрные скользкие пиявки.

Урфин сказал:

— У нас, волшебников, свой вкус, и он, быть может, покажется странным вам, обыкновенным людям...

Медведь Топотун проворчал:

— Хотел бы я посмотреть на того, кому покажется странным вкус повелителя!

При гробовом молчании присутствующих Урфин Джюс съел несколько копчёных мышей, а потом поднёс к губам пиявку, и она стала извиваться в его пальцах.

Придворные потупили взоры, и только главный распорядитель Руф Билан преданно смотрел в рот повелителю.

Но как были бы удивлены зрители этой необычной картины, если бы узнали тайну, известную лишь королю и повару. Волшебная пища была искусной подделкой. Мыши были сделаны из нежного кроличьего мяса. Пиявок Балуоль испёк из сладкого шоколадного теста, и извиваться их заставили ловкие пальцы Урфина.

Своим фокусом Урфин надеялся убить двух зайцев: убедить филина, что он стал настоящим волшебником, и удивить и испугать своих подданных. И того и другого он добился. Гуамоко, не слишком хорошо видевший при свечах, вдался в обман и одобрительно закивал головой. Второе желание Урфина тоже было удовлетворено полностью.

Вернувшись с пира, распорядители и советники рассказали своим домашним о том, что видели, и, конечно, не обошлось без преувеличений.

По стране пошла молва, что волшебник Урфин на пиру глотал живых ящериц и змей. Эта весть наполняла сердца людей ужасом и отвращением.

Через три дня после пира придворный летописец представил обширный доклад, где с неопровержимой ясностью выводил род Урфина от древних королей, когда-то правивших всей Волшебной страной.

Из этого летописец сделал два важных вывода. Во-первых, Урфин вступил на престол по законному праву, как наследник древних владык. Во-вторых, волшебницы Стелла и Виллина без всякого на то права и основания присвоили земли Урфина, и на этих наглых захватчиц надо пойти войной и лишить их владений.

В награду за свой труд летописец получил серебряный подстаканник, отобранный у одного купца и ещё не попавший в дворцовые кладовые.

* * *

Для того чтобы следить за людьми и вылавливать недовольных, Урфин Джюс решил создать полицию. Солдаты были для этого слишком неповоротливы.

Джюс изготовил для образца первого полицейского, поручил работу своим подмастерьям, и полиция в короткое время наводнила город и окрестности.

Полицейские были тоньше и слабее солдат, но длинные ноги делали их необычайно прыткими, а огромные уши позволяли подслушивать любые разговоры. Для скорости подмастерья приделывали полицейским разветвлённые древесные корневища вместо рук, обрубая отростки, служившие пальцами, если они оказывались чрезмерно длинными. У иного полицейского насчитывалось по семь и по десять пальцев на каждой руке, но Урфин полагал, что от этого руки будут только цепче. Правитель вооружил полицию рогатками, и она благодаря большой практике пользовалась этим орудием чрезвычайно ловко.

У начальника полиции были самые длинные ноги, самые большие уши, больше пальцев на руках, чем у любого из его подчинённых, и наравне с главным государственным распорядителем он имел право в любое время входить к Урфину Джюсу для доклада.

В подвале дворца день и ночь неутомимо работали бывшие солдаты, а ныне ефрейторы, зелёный и голубой, превратившиеся в искусных столяров. Они выпускали одного за другим безголовых дуболомов и складывали их штабелями в углу мастерской. Отдельными кучками лежали головы. Для каждого взвода изготовлялся капрал из красного дерева.

Урфин Джюс вечером запирался в особой комнате и там вырезал головам лица, а потом приделывал зелёные, красные, фиолетовые стеклянные пуговицы вместо глаз.

Он прикреплял головы к безголовым телам и посыпал солдат живительным порошком. Призванное к жизни пополнение дуболомной армии раскрашивалось и после просушки отводилось на задний двор, где поступало в обучение к капралам и палисандровому генералу Лану Пироту. Пробоину на голове генерала Урфин заделал и отполировал.

Взвод за взводом выходил чинным маршем из ворот дворца под командой капралов...

Армия Урфина Джюса подходила числом к ста двадцати солдатам. По городу и окрестностям постоянно ходили дозоры. Взводы солдат были посланы в Голубую страну Жевунов и в Фиолетовую страну Мигунов, чтобы назначенные туда наместники могли держать народ в повиновении.

НА ПОМОЩЬ К ДРУЗЬЯМ

СТРАННОЕ ПИСЬМО

Прошло около года с тех пор, как Элли вернулась в Канзас из Волшебной страны, отрезанной от мира цепью огромных гор и Великой пустыней. В Канзасе всё оставалось по-прежнему: и обширная степь кругом, и пшеничные поля, и пыльные дороги, пересекавшие равнину. Только не стало домика-фургона, в котором ураган унёс Элли и Тотошку в страну Гудвина. Вместо фургона фермер Джон построил домик. В нём теперь и жила семья — сам Джон, его жена Анна и дочка Элли.

Однажды летним вечером к ферме Джона подошёл усталый путник с рюкзаком за плечами. Был он средних лет, широкоплеч и крепок, с длинными мускулистыми руками, а вместо левой ноги у него была прицеплена к колену деревяшка, оставлявшая в дорожной пыли круглые следы.

Шёл он походкой моряка, раскачиваясь на ходу, точно ступая по зыбкой палубе. Смелые, широко расставленные серые глаза на загорелом обветренном лице смотрели так, будто вглядывались в даль океана.

Тотошка с лаем набросился на незнакомца и попытался укусить его деревянную ногу. На звонкий лай обернулась Анна, кормившая кур. Она бросилась к путнику и обняла его, заливаясь слезами.

— Братец Чарли! — всхлипывала Анна. — Ты вернулся, ты жив!

— Конечно, жив, коли вернулся, — хладнокровно согласился Чарли Блек, обнимая сестру.

— Но ведь твой капитан написал нам пять лет назад, что ты попал в плен к людоедам на острове Куру-Кусу!

Элли, стоявшая на крылечке, вздрогнула от страха: она-то ведь знала, что такое людоеды. Но почему мама никогда не рассказывала ей про дядю Чарли, который плавал на корабле и попал на людоедский остров?

Впрочем, эта загадка вскоре разрешилась.

— Элли, — сказала Анна, — поздоровайся с дядей Чарли!

Элли шагнула вперёд и протянула руку, но Чарли приподнял девочку и поцеловал.

— Ты помнишь меня, малышка? — спросил он. — Хотя вряд ли: тебе было всего три года, когда я был у вас последний раз. Но мама, наверное, рассказывала тебе про меня?

Элли взглянула на мать, не зная, как ответить на этот вопрос.

Смущённая Анна призналась:

— Прости, братец: когда к нам пришло то письмо про тебя, Элли было всего пять лет. Мы с мужем решили не огорчать девочку такой ужасной вестью и ничего ей не сказали. Время шло, Элли всё реже вспоминала, что у неё есть дядя Чарли... а потом и совсем позабыла про тебя.

Анна виновато опустила голову. Чарли не рассердился.

— Ну что ж, в конце концов ведь вы оказались правы: я жив! Ну а теперь, Элли, я думаю, мы станем друзьями?

— О да, дядя Чарли! — восхищённо ответила Элли. — Но как же тебя не съели людоеды? Ты дрался с ними и победил их?

— Нет, девочка, это было не так, — рассмеялся Чарли. — Победить людоедов я не мог: их были тысячи, а я один. Но знаешь, они оказались славными ребятами, эти людоеды. Когда я доказал, что живой принесу больше пользы, чем зажаренный на костре, обитатели Куру-Кусу охотно оставили меня в живых.

— Ты умеешь разговаривать по-людоедски? — удивилась Элли.

— Ну, милая моя, — улыбнулся Чарли, — была бы добрая воля, а сговориться всегда можно. Меня приняли в племя Куру-Кусу, я научил островитян пяти новым способам готовить рыбу и нашёл на острове девять новых сортов съедобных растений... Когда я прожил у них четыре года, островитяне дали мне лодку, нагрузили её припасами и бочонками с водой и вывели далеко в море, призывая для меня благословения всех своих богов. А богов у них немало, и, видно, поэтому после сорока дней плавания я встретил корабль... и вот я у вас, а кстати, сюда скачет Джон!

Джон, узнавший от соседей, что на его ферму прошёл незнакомый путник, примчался с поля верхом на лошади и очень обрадовался, узнав в госте своего шурина Чарли Блека.

Мужчины сердечно приветствовали друг друга.

— А я к тебе по делу, брат Джон, — заявил Чарли, когда кончились рукопожатия.

— Просто в гости не мог приехать? — упрекнул моряка Джон.

— Да знаешь, у такого всесветного бродяги, как я, везде найдутся дела! — оправдался Чарли. — Есть у меня мечта — купить судёнышко и навестить моих друзей на Куру-Кусу. Мне всего и не хватает-то тысчонки монет...

Фермер давно знал, что Чарли любит неожиданные затеи, и эта просьба его не удивила.

— Ладно, — сказал он, — поговорим о деле завтра, а теперь пошли ужинать.

Хозяева и гость сели за стол. Расспросы о приключениях Чарли продолжались далеко за полночь, когда усталая Элли давно уже спала крепким сном.

— А я вижу, вы разбогатели, — заметил Чарли, когда хозяйка стала готовить ему постель. — У вас новый домик, а раньше вы жили в фургоне, снятом с колёс и поставленном наземь.

И только тут родители Элли, увлечённые беседой с гостем, вспомнили, что их девочка пережила ещё более удивительные приключения. Но когда Анна начала рассказ о том, как ураган небывалой силы подхватил фургон с Элли и Тотошкой и унёс по воздуху, моряк ударил кулаком по столу.

— Стоп! Отдай якоря! — воскликнул он. — Не обижайся, сестра, но мне интереснее узнать чудесную историю из первых рук, от племянницы. И хоть меня гложет нетерпение, я всё-таки хочу, чтобы Элли сама отрапортовала мне о своих приключениях...

Утром одноногий моряк и Элли уселись на крылечке, и девочка стала рассказывать о своих приключениях.

— О, дядя Чарли, — заговорила Элли, — как мы с Тотошкой перепугались, когда ураган закружил домик и понёс высоко-высоко над землёй. Но я струсила бы ещё больше, если бы знала тогда, что ураган был не простой, а волшебный...

— Как, волшебный? — изумился моряк Чарли.

— Ну, самый обыкновенный волшебный ураган, который насылают злые феи, — пояснила Элли.

— Чем же ты провинилась перед волшебницей, что она наслала на тебя целый ураган? И ведь это так же нелепо, как стрелять из пушки по воробьям!

— Да нет, дядя Чарли, ты не понимаешь, — терпеливо возразила Элли. — Гингема хотела истребить весь человеческий род, но ей помешала это сделать добрая фея Виллина...

Девочка поведала своему удивлённому слушателю, как её домик залетел в Волшебную страну, как она, Элли, нашла там трёх верных друзей, в компании которых добралась к Гудвину, а потом совершила ещё более удивительное путешествие в страну злой Бастинды.

Когда Элли закончила свою необычную повесть на том, как серебряные башмачки перенесли её и Тотошку домой, в Канзас, поражённый моряк долго не мог опомниться.

— Ну, девчушка, клянусь всеми черепахами Куру-Кусу, твой вахтенный журнал заполнен необычайными вещами!

— А что такое вахтенный журнал?

— Это книга, куда капитан ежедневно записывает всё, что случается на судне или вокруг него. И потопи меня первый же шторм, если я теперь буду верить этим скучным умникам, которые утверждают, будто на свете нет волшебников и чудес! — в восторге вскричал Чарли. — Я отдал бы десять лет жизни, чтобы побывать в этой чудесной стране!

Смелый моряк очень жалел о чудесных башмачках: ведь они могли открыть дорогу в Волшебную страну, где на вечнозелёных деревьях в любое время года растут плоды необычайного вида и вкуса, где разговаривают животные и птицы, где живут милые и смешные племена Жевунов, Мигунов и Болтунов, у которых самый рослый мужчина чуть-чуть повыше Элли.

Рассказ о Волшебной стране и связанные с нею воспоминания расстроили Элли. Она призналась дяде Чарли, что скучает о своих верных друзьях Страшиле, Дровосеке и Льве и ей грустно оттого, что никогда-никогда она с ними не увидится.

* * *

Чарли и его маленькая племянница крепко сдружились. Они по целым вечерам разговаривали, делясь своими историями.

Моряку Чарли тоже было о чём рассказать. Он плавал по морям с десятилетнего возраста, когда впервые ступил юнгой на палубу корабля. Но хотя Чарли сражался с белыми медведями в полярных льдах и охотился на носорогов в девственных лесах Куру-Кусу, он признался, что никогда даже не слыхал про ужасных саблезубых тигров, от которых Элли спасли только находчивость и преданность верных друзей. Чарли не знал и то, что существуют на свете Летучие Обезьяны — могучие звери с сильными крыльями...

Дядя Чарли был на редкость интересный человек. Он был мастер на все руки. Элли была в восторге от удивительно разнообразного содержимого его карманов. Казалось, любой инструмент имел пристанище в карманах куртки Чарли и его широких шаровар. Огромный складной нож моряка мог выдвинуть лезвия различной формы и назначения, шило, сверло, отвёртку, ножницы и ещё многое другое.

В нужное время из карманов дяди Чарли извлекались мотки тонкой и прочной бечёвки, шурупы и винты, стамески и долота, напильники, зубила... Порой Элли казалось, что дядя Чарли сам немножко волшебник, что он просто заставляет появиться в кармане ту вещь, которая ему нужна.

А чего только не делал Чарли для девочки в часы досуга! Из кусочков доски, из фанеры и обрезков жести он мог построить водяную или ветряную мельницу, флюгер, тележку, движимую самодельной пружиной... Чтобы сделать приятное своей сестре, он поставил на её огороде для защиты от птиц механическое чучело, дрыгавшее во все стороны руками и ногами и дико завывавшее во время ветра.

Впрочем, через два дня Анна попросила моряка отнять у пугала голос.

— Пусть будет меньше огурцов, — сказала она, — да больше покою.

И в самом деле, чудище своим оглушительным рёвом никому не давало спать. Все на ферме облегчённо вздохнули, когда оно замолчало.

Под вечер, когда прекращалась домашняя суета и Элли кончала готовить уроки, Чарли отправлялся с девочкой гулять в степь.

Пыль, которую днём поднимали на дорогах телеги, ложилась на землю, даль становилась прозрачной, солнце опускалось за горизонт, отбрасывая длинные тени.

Элли и дядюшка Чарли в сопровождении Тотошки неторопливо шагали по мягкой мураве обочины дороги и разговаривали.

И вот во время одной из вечерних прогулок случилось странное событие, с которого началось новое удивительное приключение наших друзей.

Солнце село, но было ещё светло, когда девочка увидела большую растрёпанную ворону. То взлетая с земли, то снова опускаясь на неё, ворона явно спешила к Элли, резко и сердито каркая.

За птицей гнался Джимми, рыжий лохматый мальчишка с соседней фермы, ярый истребитель воробьёв, галок и кроликов. Джимми на бегу швырял в ворону комками земли, но не попадал.

Тотошка попытался схватить птицу, но ворона сделала последнее усилие, взлетела и бросилась в руки Элли. Девочка подхватила трепещущую от боли и страха птицу и сердито крикнула Джимми:

— Уходи, гадкий мальчишка!

— Отдай ворону! — захныкал Джимми. — Это моя добыча, видишь, как я ей ловко подшиб крыло!

— Уходи, если не хочешь получить как следует!

Джимми повернул домой, поддавая ногой камешки и бормоча себе под нос какие-то угрозы. Связываться с Элли в присутствии дяди Чарли он не решился.

— Бедненькая, — с сожалением сказала Элли, приглаживая взъерошенные крылья птицы. — Тебе больно, да?

— Кагги-карр! — хрипло каркнула птица, но крик её был уже спокойнее.

— Конечно, я не отдам тебя этому скверному мальчишке, — продолжала Элли. — Я вылечу твоё крылышко, и ты опять будешь летать на свободе.

Ощупывая ворону, Элли почувствовала, что правая нога птицы чем-то обёрнута. Оказалось, что вокруг ноги был обмотан древесный лист, привязанный ниткой.

Элли проворно размотала нитку, развернула лист, и её охватило смутное и тревожное предчувствие.

— Дядя Чарли, на этом листе что-нибудь должно быть! — воскликнула девочка.

Моряк и Элли стали рассматривать лист и при угасающем свете зари увидели нацарапанный чем-то острым странный рисунок. На нём изображены были две головы: одна — в широкополой остроконечной шляпе, круглая, с круглыми глазами, с четырёхугольным носом в виде заплатки, а другая — с длинным носом, в шапке, похожей на воронку. Рисунок был сделан немногими штрихами, но очень выразительно.

При первом взгляде на эти головы Элли чуть не лишилась чувств от изумления.

— Дядя Чарли, — воскликнула она, — да это же... это же... Страшила и Железный Дровосек!

Снова рассматривая лист, моряк и Элли обнаружили, что рисунок пересекали частые ровные линии, сходившиеся под прямым углом.

— Что бы это значило, дядя Чарли? — спросила девочка.

Опытный путешественник сразу догадался.

— Клянусь якорем! — воскликнул он. — Твои друзья за решёткой! С ними что-то стряслось, и они просят тебя о помощи!

— Кагги-карр, кагги-карр, — прокаркала ворона, и Чарли Блек готов был поклясться даже перед судом, что в переводе на человеческий язык это означало: «Да, да, да!»

— Мачты и паруса! — взревел моряк. — Если бы эта ворона могла говорить по-нашему, она рассказала бы много интересного!

Но птицы не разговаривают в Канзасе, и Элли очень не скоро узнала, что случилось со Страшилой и Железным Дровосеком и как они попали в беду.

ЧЕРЕЗ ПУСТЫНЮ

В эту ночь в доме фермера Джона почти не спали. Элли умоляла отца и мать отпустить её в Волшебную страну. Чарли Блек вызвался сопровождать её. Он страстно любил всякие опасности и приключения, а тут предстояло такое путешествие, по сравнению с которым поездка к островитянам Куру-Кусу была лёгкой прогулкой. Моряку очень хотелось увидеть своими глазами чудеса Волшебной страны, маленьких человечков Жевунов и Мигунов, соломенного Страшилу, получившего от Гудвина умные мозги из отрубей, булавок и иголок, Железного Дровосека с его шёлковым сердцем, говорящих зверей и птиц, город, украшенный изумрудами...

Уговорить фермера и его жену оказалось делом нелёгким — Джон и Анна ни за что не хотели расставаться с дочерью. Но в конце концов слёзы Элли и красноречие Чарли Блека победили.

После того как родители Элли согласились отпустить её, сборы потребовали немного времени. Чарли Блек и Элли съездили в соседний городок к Джеймсу Гудвину, который, уйдя из цирка, держал там бакалейную лавочку.

Бывший волшебник встретил Элли с большой радостью и очень любезно приветствовал моряка Чарли, когда узнал, что он приходится ей родным дядей.

Элли рассказала Гудвину об удивительном послании из Волшебной страны и показала ему рисунок.

101

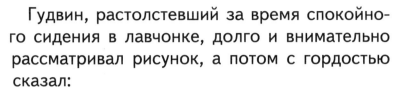

Гудвин, растолстевший за время спокойного сидения в лавчонке, долго и внимательно рассматривал рисунок, а потом с гордостью сказал:

— Уверен, что этот лист додумались послать умные мозги Страшилы. А кто ему их дал? Я! Сознайся, Элли, что я был не таким уж плохим волшебником.

— Да-да, конечно, — охотно согласилась Элли и спросила: — А вы отправитесь с нами в Волшебную страну выручать Железного Дровосека и Страшилу?

Вопрос застал Гудвина врасплох, и он надолго задумался. Потом решительно сказал:

— Нет, не поеду! Хватит с меня волшебников, волшебниц и всяких волшебных дел!

Чарли Блек шепнул племяннице, что от такого трусливого помощника мало будет пользы в их рискованном путешествии, и Элли кивнула в знак согласия.

Ранним ясным утром Чарли Блек, Элли, пёсик Тотошка и ворона отправились на северо-восток, в том направлении, куда ураган унёс домик-фургон с Элли и Тотошкой больше года тому назад. Шли пешком, ночевали в поле, в палатке, которую Чарли сам сшил из непромокаемой шёлковой материи. Палатка имела двойные стенки, её можно было надувать воздухом, и тогда она превращалась в плот. На этом плоту путешественники переплывали реки, встречавшиеся на пути.

И вот после многих дней пути почувствовалась близость Великой пустыни. Знойное дыхание ветра опаляло загорелые лица пешеходов. Колодцы и источники стали очень редкими, и моряк Чарли после каждой стоянки запасался водой.

Начали попадаться песчаные дюны, поросшие редкой травой; в них прятались огромные ящерицы, высовывая из нор безобразные головы. Они были так страшны, что даже отважный Тотошка не осмеливался на них нападать. Дни были невыносимо жаркими, а ночи холодными.

Наконец путешественники вошли в последний лес, который рос на пути в Волшебную страну. Дальше, за лесом, начиналась Великая пустыня — необъятное море песка. Пытаться идти пешком по пустыне было бессмысленно.

Здесь, в лесу, Чарли Блек нашёл подходящие материалы для постройки сухопутного корабля. А инструментов он имел достаточно.

Когда сухопутный корабль, с длинной мачтой, с палубой, ограждённой невысокими бортами, на широких колёсах, был готов, моряк и Элли выкатили его на опушку леса. Великая пустыня раскинулась перед ними без конца без края, грозная и торжественная в своём безмолвии, чуть волнистая, и мелкие жёлтые песчинки с лёгким шорохом катились по ней, подгоняемые ветерком.

Моряк снял шапку.

— Она напоминает мне океан... — тихо сказал он.

Элли смотрела на Великую пустыню расширенными от страха глазами. Однажды девочка уже пересекла её в домике, летящем среди облаков, но тогда путешествие совершилось помимо её воли, большую часть его она проспала и проснулась уже в стране Жевунов. Как-то встретит её пустыня теперь?

— Ну что же, пустыня! — весело воскликнул Чарли. — Я боролся с океаном, поборюсь и с тобой, тем более что вы схожи как брат и сестра!

Оставалось только ждать попутного ветра. Попутный ветер был необходим, потому что деревянная тележка под парусом не могла

лавировать так свободно, как корабль в море. Чарли Блек поставил на открытом месте флюгер, и Элли, просыпаясь по утрам, первым делом бежала к нему узнать направление ветра.

Терпение путешественников испытывалось недолго. Через три дня рано утром подул юго-западный ветер, быстро усиливавшийся.

Всю поклажу, кроме вещей, необходимых для ночлега, Чарли Блек и Элли складывали на палубу своего корабля. Так было и теперь: бочонок, наполненный свежей водой из соседнего родника, уже стоял на месте, провизия и прочее тоже были погружены. Моряк натянул верёвку, и на мачте поднялся парус, сделанный всё из того же шёлкового полотнища.

— Дядя Чарли, это полотнище у тебя всепревращальное! — в изумлении вскричала Элли, взбираясь на палубу.

— Как ты сказала?

— Всепревращальное полотнище: ведь оно может превращаться во всё, что угодно.

— Очень хорошее слово, — сказал моряк. — Так и назовём его.

Ветер наполнил парус, и тележка мягко покатилась по песку с развевающимся флагом — клетчатым платочком Элли на мачте. Сухопутный корабль быстро нёсся в нужном направлении. Туча мелкого песка кружилась вокруг корабля. Но моряк Чарли предвидел и это неудобство: он пошарил в одном из своих многочисленных карманов и достал оттуда очки для себя и для Элли. Стёкла очков были окружены плотными сетками, прилегавшими к лицу: это не позволяло песку залеплять глаза. Смотреть было хорошо, но разговаривать всё равно было нельзя — стоило открыть рот, как туда сразу врывалась пыль.

— А ты не разговаривай, — посоветовал Чарли девочке и всё своё внимание обратил на управление парусом.

Тележка стремительно мчалась по толстому слою песка, её широкие колёса не вязли в нём. Перекидывая парус вправо или влево, капитан сухопутного корабля слегка изменял курс и объезжал холмы и впадины.

Время перевалило за полдень, когда на горизонте блеснуло что-то похожее на серебристую гряду облаков. Но зоркий глаз Чарли не обманулся.

— Горы! — радостно воскликнул моряк. — Вижу горы!

Элли от восторга захлопала в ладоши.

С каждой минутой горы становились ближе, виднее, и уже можно было различить голые чёрные вершины и ослепительно сияющие снега на склонах.

— Ещё час-другой, и мы будем у подножия хребта, — сказал Чарли, — лишь бы только не утих ветер...

Но ветер не стихал, тележка неслась всё так же быстро, и у моряка было весело на душе.

Однако скоро его стало одолевать беспокойство: сухопутный корабль почему-то начал сбиваться с курса, упорно уклоняясь на север.

Капитан не мог понять, в чём дело. Судя по компасу, ветер не изменился, рулевое управление действовало исправно, и всё-таки Чарли Блеку никак не удавалось выдерживать ранее взятое направление. Капитан озабоченно вглядывался вперёд.

Внезапно за песчаным холмом показался камень величиной с дом. Он лежал на пути корабля, и Чарли Блек налёг на руль, чтобы объехать каменную громадину.

Но что это? Корабль потерял управление и помчался прямо на препятствие. Капитан поворачивал руль, потом изо всей силы налёг на тормоз — всё напрасно. Чарли даже спустил парус, но тележка, словно взбесившаяся лошадь, неслась всё быстрее и быстрее. Катастрофа стала неминуемой.

Моряк едва успел крикнуть: «Элли, держись за мачту!» — как тр-рах! — корабль с треском ударился о скалу. Пассажиры и вещи, смешавшись в кучу, полетели вперёд.

Сила толчка оторвала Элли от мачты, девочка стукнулась о палубу лбом и набила себе шишку. Чарли Блек упал на спину, но, к счастью, удачно. Тотошка визжал, придавленный бочонком. Но вытащив пёсика, Элли убедилась, что он цел и невредим. Ворона не пострадала, защищённая прочной клеткой, она только громко каркала.

Поднявшись на ноги, Чарли осмотрелся. Судно стояло, накренившись на один бок, как настоящий корабль, потерпевший крушение. Свесившись через борт, капитан убедился, что передняя ось тележки разлетелась пополам.

— Эх я, старая копчёная селёдка! — обругал сам себя моряк. — Не сумел справиться с рулём... И что это случилось с судном? Я готов поклясться, что чёртов камень притягивал его, как магнит железо...

Проклиная и себя, и корабль, и скалу, Чарли принялся разыскивать инструменты, чтобы начать ремонт тележки. Тем временем Элли, наведя порядок на палубе, спрыгнула на песок и пошла вокруг камня, надеясь укрыться за ним от ветра.

Девочка скользила взором по бокам скалы, изрытым трещинами, и... странная вещь! Элли показалось, что причудливый узор трещин складывается в буквы. Она подошла вплотную к скале — ничего не разобрать в беспорядочном переплетении линий. Девочка догадалась отойти подальше и теперь совершенно ясно различила огромные кривые буквы Г... И... Н...

— Гингема! — воскликнула Элли.

— Чего ты там кричишь? — раздался голос Чарли.

— Дядя Чарли, иди скорее сюда! Смотри, что тут такое!

Моряк подошёл и всмотрелся.

— Как будто буквы... Впрочем, нет, это только кажется...

— И вовсе не кажется! — сердилась Элли. — Там написано имя: Гингема! Видишь буквы?!

Чарли схватился за голову.

— А ведь и в самом деле... Теперь всё понятно! Камень не простой, а волшебный, и он действительно притянул наш корабль. Ах, проклятая колдунья, ты и после смерти вредишь нам!.. — Чарли погрозил в пространство кулаком.

Чарли Блек вскарабкался на верхушку скалы. Направо в нескольких милях отсюда среди жёлтых песков пустыни выделялось чёрное пятно. Моряк достал из кармана подзорную трубу, раздвинул её, навёл, всмотрелся. Рука его дрогнула.

Там стоял точно такой же громадный чёрный камень. Моряку всё стало ясно: Гингема расставила камни далеко один от другого, но наделила их такой волшебной силой, что через этот заслон пробиться было невозможно...

— Но нет, мы ещё поборемся с тобой, старая ведьма! — сказал Чарли, слез со скалы и, не рассказывая девочке о том, что увидел, принялся за дело. Он раскинул палатку, где Элли, Тотошка и ворона нашли убежище от зноя и песчаной бури, а сам приступил к ремонту тележки.

В ПЛЕНУ У ЧЁРНОГО КАМНЯ

Когда Чарли закончил работу, была уже ночь, над пустыней зажглись яркие звёзды. В эту ночь Чарли Блек не мог спать так беззаботно, как всегда. Он ворочался с боку на бок, придумывая способ обезвредить последнее волшебство старой Гингемы.

Так ничего и не придумав, моряк задремал на рассвете и проснулся, когда Элли разбудила его завтракать.

После завтрака моряк сказал:

— Ну что же, если нашему кораблю так понравилась эта гавань, что он не хочет покидать её, мы отправимся пешком.

— Мы оставляем корабль? — испуганно спросила Элли.

— Приходится его бросить. Но ты не бойся, девочка! До гор осталось не больше двадцати миль, и мы пройдём их за полтора-два дня.

Чарли Блек сложил в рюкзак запас провизии и воды, взял палатку и самые необходимые инструменты. Остальное бросили на палубе корабля. Оглянувшись в последний раз на корабль, путники бодро зашагали прочь от коварного камня. Шагов сто они прошли легко и свободно, но затем какая-то таинственная сила начала сковывать их движения, мешала им идти.

111

Каждый последующий шаг давался всё с большим трудом. Похоже было, что невидимая упругая нить, растянувшись до предела, тащила пешеходов назад. И наконец они без сил свалились на землю.

— Делать нечего, пойдём назад, — со вздохом сказал Чарли Блек.

И... чудо! Достаточно было повернуть к камню, как ноги сами понесли их, шаг их всё ускорялся, и к месту стоянки путники прибежали так быстро, что едва смогли остановиться.

— Похоже, что камень не отпустит нас от себя, — помрачневшим голосом сказал моряк.

Элли вздрогнула.

— Всё-таки не надо падать духом, — продолжал Чарли. — Будем думать, и, быть может, нам удастся пересилить чары Гингемы...

Весь день прошёл в мучительных пытках. Не раз пробовали путешественники уйти от камня: то пятясь, то ползком... Напрасно! Сила волшебства была неодолима, и утомлённые неравной борьбой моряк и девочка возвращались в лагерь. В обед и ужин порции пищи и воды были уменьшены вдвое.

— Чем дольше мы здесь продержимся, — говорил Чарли, — тем больше возможности, что нас выручит какая-нибудь счастливая случайность. А потому подтянем потуже пояса.

Следующее утро не принесло ничего нового. Опять бесплодная попытка перехитрить камень и унылое возвращение... Но Элли удивило поведение вороны. Птица билась в клетке и кричала так выразительно, точно хотела выговорить: «Отпустите меня на волю!»

Девочка сказала:

— Дядя Чарли, давай выпустим ворону, зачем бедняжка мучается с нами!

— Бедняжка! — проворчал моряк. — Эта бедняжка завела нас в беду, а сама хочет улепетнуть!

— Ну, дядя Чарли, не притворяйся таким жестоким, ведь ты же добряк!

Чарли, открыв клетку, подбросил ворону вверх:

— Улетай, коварное создание, если колдовской камень тебя не удержит.

Ворона села Элли на плечо и что-то каркнула ей в ухо. Потом легко взмыла вверх и исчезла вдали. Моряк удивлённо молвил:

— Клянусь колдунами и ведьмами, она легко пошла по курсу! Но как же получилось, что камень её отпустил?

Подумав, Элли сказала:

— А зачем её удерживать, коли она жительница Волшебной страны?

Чарли невольно улыбнулся, а девочка продолжала:

— И, по-моему, ворона посоветовала нам не терять надежды.

— Поживём — увидим, — грустно сказал моряк.

Съестные припасы и особенно вода убывали быстро. В сухом воздухе пустыни жажда одолевала людей неимоверно. Чарли старался ограничить дневные порции, но Элли просила пить так жалобно, что сердце старого моряка не выдерживало, и он давал девочке несколько глотков воды. А когда она с великим наслаждением её выпивала, Тотошка становился перед моряком на задние лапки, смотрел на него и слабо шевелил хвостиком. Приходилось давать воды и ему.

Увеличивая порции для Элли и Тотошки, одноногий моряк сокращал свою. Он похудел и высох, кожа на его лице обвисла складками.

СПАСЕНИЕ

На седьмой день бочонок опустел. К обеденному часу не осталось ни капли воды. Элли впала в забытьё, закалённый моряк ещё держался. В один из моментов, когда Чарли силой воли стряхнул с себя оцепенение, он удивлённо встрепенулся, протёр глаза. Ему показалось, что вдали движется чёрное пятнышко. Но что могло двигаться в этой страшной мёртвой пустыне?.. И однако пятнышко росло, приближалось.

— Ворона! Клянусь рифами Куру-Кусу, это возвращается ворона! — заорал Чарли с неведомо откуда взявшейся силой.

Какая им будет польза от этого возвращения, старый моряк не знал, но сердцем чуял, что птица возвращается неспроста. Вот она уже недалеко, моряк видел, что она летит с трудом, сильно и резко взмахивая крыльями, чтобы удержаться в воздухе.

Что-то клонило птицу к земле. Что? Зоркие глаза моряка разглядели, что это была огромная кисть винограда, которую ворона тащила в клюве.

— Виноград! — неистово взревел Чарли. — Элли, очнись! Мы спасены!

Элли не слышала, не понимала.

Ворона опустилась на песок близ тележки. Чарли схватил виноградную кисть, оторвал несколько ягод, вложил в полуоткрытые губы Элли, нажал. Прохладный сок пролился в горло девочки, и она пришла в себя...

— Дядя Чарли... Это что? Вода?

— Лучше! Это — виноград! И знаешь, кто принёс его нам? Ворона!

— Кагги-карр! — отозвалась ворона, услышав, что говорят о ней.

Проглотив несколько виноградин, Элли поднялась на локте, взор её упал на бесчувственного Тотошку.

— Тотошенька, миленький! И ты умираешь от жажды...

Три ягоды сразу оживили пёсика, он открыл глаза, пошевелил хвостиком.

Убедившись, что его команда спасена, капитан позволил и себе освежиться виноградом. Крупные желтоватые ягоды так и таяли во рту, утоляя жажду и голод.

— Ну и виноград! — бормотал моряк. — Я такого не ел даже на Куру-Кусу!

Моряк взял на руки ворону, погладил её чёрные взъерошенные перья.

— Умница ты наша! А я-то, старая копчёная селёдка, ещё сердился, что ты улетела. Вот если бы ты ещё научила нас, как справиться с колдовской силой камня, я бы сказал, что ты мудрейшая птица в мире.

Вместо ответа ворона клюнула ягодку винограда и лукаво скосила на моряка чёрный глаз.

«Она намекает на виноград, — подумал Чарли. — Но чем он нам поможет? Только продлит наши муки у этого проклятого камня...»

Ворона поскакала по песку, всё время оглядываясь на Чарли и как бы призывая его следовать за собой.

Моряк встал и быстро пошёл к горам. И удивительное дело! Немного он съел виноградин, а ноги его шагали так легко и свободно, точно он не голодал целую неделю, точно не лежал бессильно на песке.

— Ветер и волны! — бормотал моряк — Вот штука похитрее всех, какие я видывал. А ну, посмотрим...

Вот и роковой рубеж, где всегда падали они с Элли без сил, без воли. И что же? Чарли продолжал шагать так же свободно!

— Ура, ура! — завопил Чарли. — Элли, сюда! Мы спасены!

Недоумевающая Элли подбежала к дяде и только тогда поняла смысл его слов.

— Дядечка Чарли, скорей, скорей отсюда!

— Да, ты права! Кто знает, сколько времени продолжается волшебное действие винограда? Надо спешить!

Наскоро побросав кое-какие припасы в рюкзаки, захватив палатку и не заботясь об оставшемся имуществе, путники покинули страшное место. Тотошка весело прыгал, а ворона летела перед ними, указывая путь.

Когда было пройдено около трёх миль и заколдованного камня не стало видно, путники остановились. Они съели ещё несколько ягод винограда и с новыми силами зашагали вперёд. В этот день они прошли половину расстояния до гор.

Утром путники заметили, что вороны нет. Но им недолго пришлось гадать, куда она девалась. Птица прилетела с новой кистью винограда в клюве.

— Чёрт побери! — бормотал Чарли, оделяя свою команду сочными ягодами. — Никогда в жизни не думал, что у меня будет такой странный поставщик!

ДОЛИНА ЧУДЕСНОГО ВИНОГРАДА

Долина между двумя горными отрогами имела весёлый приветливый вид: посередине протекала быстрая речка, начинавшаяся высоко в горах в области вечных снегов. По берегам её росли фруктовые деревья. Бросившись к речке, путники вдоволь напились вкусной холодной воды, а затем ступили на зелёный луг, пестревший незнакомыми яркими цветами. И тут начались неожиданные вещи.

Ворона церемонно склонила голову набок и каким-то особым, очень ясным голосом сказала:

— Кагги-Карр!

— Слышали уж мы это! — не особенно любезно отозвался Тотошка.

— Слышали, да не понимали, — огрызнулась ворона. — Это моё имя. Имею честь представиться: Кагги-Карр, первый отведыватель блюд дворцовой кухни при дворе правителя Изумрудного города Страшилы Мудрого!

— Ах, простите! Очень приятно познакомиться! Меня зовут Тото! — Пёсик вежливо поклонился.

Моряк Чарли, сидя на земле и слушая этот разговор, совершенно остолбенел, а Элли до слёз хохотала над его изумлением.

— Дядя Чарли! Да опомнись же! — тормошила она моряка за рукав. — Ведь я тебе сто раз говорила, что в Волшебной стране разговаривают животные и птицы!

— Чужие рассказы — одно дело, а услышать собственными ушами — совсем другое, — возразил моряк. — Ну, значит, мы

117

действительно попали в Волшебную страну. Однако как же это получается, а?

Чарли ещё не мог прийти в себя от удивления. Он широко открытыми глазами смотрел то на ворону, то на Тотошку.

— Всё это очень просто, — сказала ворона. — Нечему тут удивляться. Сразу видно, что вы явились из страны, где не знают волшебства.

— Ну, уж раз ты заговорила, Кагги-Карр, то расскажи нам, что означает загадочное послание, которое отправило нас в это трудное путешествие.

— Да-да, Кагги-Карр, — подхватила Элли, — открой нам тайну письма!

— Моя повесть будет очень долгой, — ответила ворона, — и я предпочла бы отложить её до завтра. Но, чтобы успокоить вас,

скажу, что Железный Дровосек и Страшила были живы и здоровы, когда я полетела к вам в Канзас. Они просто-напросто сидят в заточении на верхушке высокой башни...

— Просто-напросто! — со слезами на глазах воскликнула Элли. — Тебе, видно, их совсем не жалко!

Кагги-Карр обиделась. Она долго молчала, потом заговорила с горечью:

— Конечно, мне их ничуточки не жалко! Я равнодушно оставила их в беде, я не взяла их письмо, не полетела с ним за тридевять земель, подвергаясь бесчисленным опасностям...

Элли стало стыдно.

— Милая, добрая Кагги-Карр, прости меня! Как я могла сказать такое!

Ворона сменила гнев на милость.

— Ладно уж, другой раз думай над своими словами. Так вот, я сказала, что они сидят в башне, но не договорила главного: враг, который их заточил, грозит уничтожить наших друзей, если они не покорятся его воле...

Элли вскочила.

— Так что же мы сидим! Надо немедленно спешить на выручку!

— Опять ты не дала мне докончить, — с укором молвила ворона. — Им дано на раздумье шесть месяцев, а из этого срока прошло не больше половины. Значит, времени у нас вполне достаточно.

— Но, понятно, мы не должны мешкать, — закончил разговор Чарли Блек. — Завтра же отправимся в дальнейший путь, а сегодня надо отдохнуть как следует. На ужин надо раздобыть что-нибудь существенное. В этой речке есть рыба?

— Есть, дядя Чарли, и превкусная! — откликнулась ворона. — Что касается меня, то я очень люблю сырую рыбу.

— А я — жареную! — сказала Элли.

— А я — варёную! — сказал Тотошка.

Чарли Блек принялся готовить рыболовную снасть. Из-за подкладки матросской шапки он достал леску с крючком, одним из клинков своего ножа срезал длинный прут для удилища, поплавок сделал из камышинки.

— Нужна приманка! — сказал он.

Меж деревьев летали жуки необычайно яркой и нарядной раскраски: изумрудно-зелёные с красными и золотыми пятнами. Но они были так увёртливы, что моряк не смог поймать ни одного. Элли тоже напрасно гонялась за жуками. На помощь пришла Кагги-Карр. Своим крепким клювом она стукнула на лету одного жука, другого, третьего... Элли не успевала их подбирать.

Вблизи от лагеря речка разлилась широким прудком, поросшим водяными лилиями. Там, на берегу, и уселся с удочкой моряк Чарли, поручив Элли насобирать сухих веток для костра.

Клёва не пришлось ждать. Поплавок сразу пошёл в сторону, Чарли подсёк, и на леске заходило что-то сильное, упористое. Уверенной рукой моряк вытащил добычу, и на берегу затрепыхалась большая рыба, похожая на линя, но с чешуёй лазурного цвета.

— Эту рыбу у нас зовут крокс, — объяснила Кагги-Карр, с интересом наблюдавшая за ловлей.

За полчаса Чарли добыл десяток кроксов, а из лагеря уже виднелся дымок. Элли развела костёр.

Зажаренные в собственном соку кроксы были съедены с большим аппетитом. На сладкое были кисти чудесного винограда и крупные орехи с тонкой скорлупой, внутри которых находилась нежная ароматная мякоть.

Покончив с ужином, путники блаженно развалились на мягкой траве.

— Кагги-Карр, — сказал моряк, — расскажи-ка нам, где ты добыла волшебный виноград, который спас нас от гибели?

Ворона приосанилась и важно начала:

— Вы, люди, чрезвычайно недогадливы. Когда вас захватил в плен заколдованный камень Гингемы, я, признаться, ужасно сердилась, что вам не приходило в голову выпустить меня из клетки. И только Элли сообразила, что камень не имеет власти надо мной, жительницей Волшебной страны...

Элли покраснела от незаслуженной похвалы и сказала:

— Об этом я догадалась потом, а свободу тебе дала, чтобы ты не погибла вместе с нами.

— Это делает честь твоему доброму сердцу. Освободившись, я полетела к горам и всё думала, как вам помочь. Но что могла сделать я, простая ворона, против колдовства могущественной волшебницы? И тут мне пришла мысль обратиться за помощью к Виллине. «Виллина сильнее Гингемы, — думала я. — Это она обезвредила ураган, она бросила домик на злую колдунью. Наверно, Виллина сумеет разбить чары камня...» И я полетела в Жёлтую страну. Целых шесть суток летела я туда. Местные вороны указали мне путь к Жёлтому дворцу Виллины. Слуги немедленно провели меня к доброй волшебнице. Взволнованно выслушав мой рассказ, Виллина спросила:

«Элли? Та девочка, которая была здесь в прошлом году и разоблачила Гудвина?»

«Да, — ответила я, — Элли явилась на выручку своих друзей Страшилы и Железного Дровосека».

«Надо помочь Элли, — сказала волшебница, — она добрая и смелая девочка».

Виллина вытащила из складок своей мантии крошечную книжку, подула на неё и...

— И та превратилась в огромный том! — докончила Элли.

— Верно, — согласилась ворона. — Виллина стала перелистывать волшебную книгу. Она бормотала: «А... ананасы, армия, аргус... Б... баллон, бананы, башмаки... В... вазы, вафли, великодушие... Нашла: виноград! Слушай, Кагги-Карр: бамбара, чуфара, скорики, морики, турабо, фурабо, лорики, ёрики... На краю Великой пустыни в долине Кругосветных гор растёт чудесный виноград. Только он может лишить силы колдовские камни, расставленные Гингемой на дороге к её владениям».

Книга сжалась и исчезла в складках одежды волшебницы. Виллина спросила:

«Много ли воды оставалось у твоих друзей, когда ты улетала?» — «Четверть бочонка», — ответила я.

«Тогда на исходе этого дня твои друзья погибнут, — сказала волшебница. — Пустыня убьёт их».

Страшное горе охватило меня.

«Неужели нет средства спасти их?» — в отчаянии воскликнула я.

«Не убивайся, такое средство есть», — спокойно молвила волшебница.

Она поднялась на кровлю своего дворца, спрятала меня под свою мантию, громко прочитала заклинание, которого я не запомнила, и, когда вынула меня из-под мантии, мы были уже в этой самой долине, у лозы, с которой свешивались кисти чудесного винограда.

Виллина предложила мне подкрепиться, я съела десяток ягод и почувствовала необычайный прилив сил. Волшебница сорвала большую кисть и подала мне.

«Теперь лети и не мешкай», — приказала она.

«А почему бы вам, сударыня, не перенестись к моим погибающим друзьям в одно мгновение ока? — спросила я. — Довершите доброе дело, которое вы так хорошо начали».

«Ты глупая птица, — возразила волшебница. — Мои заклинания не могут перенести меня за границу Волшебной страны, а если я пойду пешком, это отнимет слишком много времени».

Я всё поняла, сердечно поблагодарила волшебницу и полетела к вам. Остальное вы знаете, — скромно закончила ворона.

Поражённые рассказом Кагги-Карр, люди долго молчали. Наконец моряк произнёс:

— Да, Кагги-Карр, ты настоящий друг, и я прошу у тебя прощения за злые мысли, которые приходили мне в голову насчёт тебя. И клянусь компасом, если бы ты служила на моём корабле, я сделал бы тебя боцманом!

В устах моряка это была высшая похвала!

ДОРОГА В ГОРАХ

Кагги-Карр с утра приступила к рассказу о злоключениях Страшилы и Железного Дровосека. Ворона не знала в подробностях историю Урфина Джюса и не могла объяснить, как ожили созданные им деревянные солдаты.

По словам Кагги-Карр выходило, что Урфин — могучий волшебник, и борьба с ним представлялась слушателям очень трудной. Но они от всей души возненавидели завистливого и жестокого диктатора.

О подлой измене Руфа Билана все узнали с величайшим презрением.

Зато отважное поведение Страшилы и Железного Дровосека вызвало у Элли слёзы восхищения, а моряк сказал, что таких храбрых ребят он взял бы в любое опасное плавание. Преданность и смелость Дина Гиора и Фараманта заслужили у Чарли Блека и Элли полное одобрение.

— Вот как всё это случилось, — закончила рассказ Кагги-Карр.

Элли спросила:

— А что же сталось с Длиннобородым Солдатом и Стражем Ворот?

— Я их не видела после того, как они попали в плен при взятии города. Но знакомый городской воробей говорил мне, что их держат в подвале и кормят довольно сносно. Видно, Урфин Джюс надеется переманить их к себе на службу.

— Вот уж этого никогда не случится! — убеждённо воскликнула Элли.

— Я тоже так думаю, — согласилась ворона.

— Да, серьёзный противник этот Урфин Джюс с его деревянным войском, — задумчиво сказал одноногий моряк.

— Мы с ним справимся, дядя Чарли? — спросила Элли.

— Ты забыла про мудрое правило: сначала одна забота, потом другая. Вот перейдём горы, тогда и будем думать о борьбе с Урфином Джюсом.

— Кагги-Карр, а как тебе удалось разыскать меня? — спросила Элли.

— Ну, могу сказать, это была нелёгкая задача, — сказала ворона, раздуваясь от гордости. — Я перелетела через пустыню с попутным ветром, и тут начались главные трудности. Вы понимаете, я же не могла спросить у первого встречного: «Где здесь ворота в Канзас?» Мне приходилось подкрадываться к людям, подслушивать их разговоры, узнавать названия мест... В скитаниях прошло несколько недель. Судите же сами, какова была моя радость, когда я наконец услышала знакомое слово «Канзас». С тех пор я с каждым днём приближалась к цели. И вот я издали заметила и узнала тебя, Элли, хоть и видела только раз, когда ты снимала Страшилу с кола. От восторга я потеряла обычную осторожность и подпустила к себе этого противного мальчишку с камнями...

— Кагги-Карр, ты совершила необычайный подвиг! — горячо воскликнула Элли. — Недаром именно тебя послали Страшила и Дровосек.

— Может, и так, — с притворным равнодушием согласилась ворона и добавила: — Теперь вы отдыхайте, а я полечу искать дорогу через горы.

Она поднялась и улетела. Чарли Блек велел Элли набираться сил, а сам начал готовиться к трудному переходу.

Одноногий моряк наловил десятка два кроксов, вычистил их и повесил вялиться на жарком солнышке. На другую бечёвку он нанизал сочные кисти винограда, чтобы они превратились в изюм.

Затем он принялся за обувь: свой сапог и башмаки Элли он подбил шипами, чтобы они не скользили на скалах и на льду, а в деревяшку вбил крепкий гвоздь остриём вниз. Для Тотошки моряк сделал прочные башмачки из мягкой древесной коры: лапки пёсика не будут зябнуть, когда он пойдёт по леднику.

Все эти заботы и хлопоты отняли у моряка целый день. Кагги-Карр вернулась поздно вечером, совершенно измученная.

— Ну и горы, — устало прохрипела ворона, опустившись на траву. — Недаром говорят, что через них никогда не переходил человек! Но они от меня не увернутся, нет! Сегодня я летела на запад от лагеря, завтра отправлюсь на восток.

Путники заснули под шум водопада, низвергающегося с гор.

Элли всю ночь снились солдаты Урфина Джюса, гулко стучавшие деревянными ногами по кирпичам жёлтой дороги.

На следующий день ворона опять исчезла в горах.

Бродя по долине, Чарли нашёл дикие тыквы, по форме похожие на большие груши. Моряк очень обрадовался находке. Он срезал у нескольких спелых плодов верхушки, выскреб из них мякоть и семена, подсушил плоды на солнышке, и из них получились прекрасные фляги для воды, лёгкие и прочные. Чарли выстрогал пробки из коры пробкового дерева, и теперь фляги с водой можно было класть в рюкзаки.

Кагги-Карр вернулась, когда солнце стояло ещё высоко над горизонтом. Вид у неё был торжествующий.

— Нашла, нашла! — ещё издали кричала она. — Напрасно горы хитрили со мной, я оказалась хитрее!

С жадностью глотая большие куски жареного крокса, ворона рассказывала:

— Тропинка, конечно, не из самых лучших, но пробраться по ней можно. И хорошо то, что она проходит через перевал, который намного ниже главной цепи. Скажу, не хвастаясь, дядя Чарли, не всякая птица нашла бы этот перевал среди нагромождения вершин и хребтов...

— Клянусь всеми воронами мира, я с первого взгляда на тебя, Кагги-Карр, понял, что ты необыкновенная птица, — сказал моряк.

Элли добавила:

— Ведь недаром именно ты подала Страшиле мысль добывать мозги.

Кагги-Карр осталась очень довольна похвалами и сказала:

— Завтра в путь, едва рассветёт, потому что дорога дальняя и трудная.

У Чарли не было специального снаряжения для восхождений на горы: крючьев, чтобы вбивать в скалы, верёвочных лестниц и тому подобного, но это и не понадобилось. Под водительством вороны они огибали склоны, не взбираясь на них, минуя осыпи, обходили бездны, на дне которых глухо шумели потоки.

В опасных местах Блек и Элли связывались верёвкой, и девочка брала на руки Тотошку.

Была пройдена значительная часть пути, когда встретилось неожиданное препятствие: глубокая щель в скале. Ширина щели была такова, что её не смогла бы перепрыгнуть и Элли, не говоря уже о Чарли с его деревянной ногой.

Смущённые путники остановились. Кагги-Карр расстроилась больше всех: ведь это она была виновата — пролетая над горами, она не обратила внимания на эту щель, которая сверху казалась тоненькой ниточкой. Что делать?

— Посмотрю, нельзя ли обойти кругом, — сказала ворона и полетела на разведку.

Через полчаса она вернулась разочарованная.

— Кругом такие скалы и пропасти, что невозможно пробраться, — доложила она.

Элли молвила с грустной улыбкой:

— Мой друг Страшила сказал бы: «Вот глубокая яма, через которую не перепрыгнешь. Ямы переходят по мостам. Значит, надо построить мост».

Моряк Чарли вскочил с просветлевшим лицом.

— Элли, ты подала мне превосходную идею! Мы построим мост!

— Дядя Чарли, здесь нет ни одного дерева! Неужели ты хочешь вернуться в Долину чудесного винограда?

— Ты забыла, что у меня в рюкзаке всепревращальное полотнище? Сегодня оно у нас превратится в мост!

Чарли достал моток прочной бечёвки, отделил длинный конец и, сложив вдвое, перекинул через щель, стараясь зацепить за выступ скалы. Когда это ему удалось, он туго натянул оба конца бечёвки и закрепил на своей стороне. Операция была повторена несколько раз, и через пропасть пролегли сильно натянутые шнуры.

Элли смотрела с недоумением.

— Дядя Чарли, по такому шнурку пройдёт только воробей!

— Не спеши, девочка, это у нас только опора моста, а сам мост — вот он!

Моряк достал всепревращальное полотнище, туго надул его, и огромная твёрдая подушка легла на шнуры, образовав надёжный переход. Элли даже запрыгала от восхищения.

Чарли осторожно переполз через мост, помог перебраться Элли и Тотошке. Воздух из полотнища был выпущен, оно убралось в рюкзак, моряк потянул шнур, хитро рассчитанные узлы развязались, и Чарли смотал бечёвку.

Компания двинулась дальше.

Скоро они перешли перевал, местность сделалась более приветливой, склоны не были такими скалистыми и крутыми, и на них даже начали появляться деревья. Здесь путники переночевали.

На следующее утро они спустились к подножию гор. Перед ними расстилалась Голубая страна.

Элли с первого взгляда узнала прекрасную страну Жевунов.

Да, это были её зелёные лужайки, окаймлённые деревьями со спелыми, сочными плодами и покрытые клумбами красивых белых, голубых и фиолетовых цветов. С деревьев Элли приветствовали высокими странными голосами золотисто-лазурные красногрудые попугаи. В прозрачных потоках резвились серебристые рыбки.

Пейзаж необыкновенной красоты был знаком Элли и Тотошке, но моряк Чарли пришёл в неописуемое восхищение. Много стран посетил он, много видел прекрасных мест, но такого великолепия нигде не встречал.

И, как и в прошлый раз, из-за деревьев показались самые забавные и милые человечки, каких только можно вообразить. Элли узнала Жевунов, одетых в голубые бархатные кафтаны, узкие панталоны и ботфорты. На головах Жевунов были остроконечные шляпы с хрустальными шариками на макушке и нежно звеневшими бубенчиками под широкими полями.

Жевуны дружелюбно улыбнулись Элли, поставили на землю шляпы, чтобы бубенчики своим звоном не мешали им разговаривать, и старший из них сказал:

— Приветствуем тебя и твоего спутника в нашей стране, Фея Убивающего Домика! Мы рады, что ты снова посетила нас. Но на чём же ты прилетела в этот раз?

— Я перешла пешком через горы и очень рада видеть вас снова, мои милые друзья!

Один из Жевунов недоверчиво спросил:

— Разве феи ходят пешком?

Элли рассмеялась:

— Но я же вам ещё тогда говорила, что я самая обыкновенная девочка!

Старший Жевун убеждённо возразил:

— Обыкновенные девочки не прилетают в Убивающем Домике и не садятся — крак! крак! — на голову злым волшебницам. Обыкновенные девочки не улетают в неизвестный нам Канзас на чудесных серебряных башмачках!

— Я вижу, вам хорошо известны все мои приключения, — удивилась Элли. — Ну, ладно, вас не убедишь, пусть я буду фея. А вот мой дядюшка Чарли. У него нет левой ноги, но он всё равно самый лучший, самый милый дядюшка на свете!

Жевуны, уже успевшие надеть шляпы, низко поклонились моряку, и бубенчики мелодично зазвенели.

Маленькие человечки смотрели на Чарли Блека с некоторым страхом: в сравнении с ними моряк казался настоящим великаном, а ведь он был нормального среднего роста.

Чарли теперь только понял, почему этих человечков называли Жевунами.

Нижние челюсти их всё время двигались, как будто что-то пережёвывая. В таком же движении были их губы и щёки. Впрочем, Чарли Блек скоро привык к этой особенности гостеприимных человечков и перестал её замечать.

— Как вы живёте, милые друзья? — спросила Элли.

— Плохо! — ответили Жевуны и горько зарыдали. А чтобы бубенчики своим звоном не мешали им плакать, они снова сняли шляпы и поставили их на землю.

— Ты освободила нас от коварной Гингемы, но на смену ей явился злой волшебник Урфин Джюс, — сказал старший Жевун. — Он оживил медвежью шкуру и ужасных деревянных солдат. Урфин Джюс свергнул избранного нами правителя Према Кокуса и даже захватил власть над Изумрудным городом.

— Но ведь он далеко от вас, почему же вам плохо? — спросила Элли.

— Урфин Джюс прислал в нашу страну наместника Кабра Гвина с десятком деревянных солдат. Кабр Гвин очень плохой и жадный человек. Он ходит с дуболомами по нашим домам и отбирает у нас всё, что ему понравится.

— Я знаю этого Кабра Гвина, — сказала Кагги-Карр. — Он из тех предателей, которые пошли на службу к Урфину Джюсу.

— Остерегайтесь, милостивая госпожа Фея, чтобы Кабр Гвин не узнал о вашем прибытии в страну, а то вам придётся плохо, — сказал старший Жевун.

— Нет, клянусь пиратами южных морей, пусть он сам бережётся! — с гневом воскликнул моряк Чарли. — Это ему придётся от нас плохо!

Вид разгневанного великана показался маленьким Жевунам таким страшным, что они задрожали от испуга.

— Мы прибыли к вам освободить Волшебную страну от Урфина Джюса и его солдат, — пояснила Элли.

Жевуны пришли в восторг и дружно захохотали; бубенчики на шляпах, которые они взяли в руки, громко зазвенели.

У подножия гор не было людских жилищ, и Кабр Гвин не заглядывал сюда со своей охраной. Поэтому Чарли Блек решил устроить лагерь на первое время здесь. Он раскинул палатку в прекрасной плодовой роще.

Жевуны никогда не видали палаток и страшно удивились, когда под деревьями в несколько минут появился домик. Оставив друзей устраиваться на ночлег, Жевуны ушли.

Утром они снова явились и принесли столько провизии, что большую часть Чарли попросил отнести обратно. Старший Жевун сказал, что радостная весть о возвращении Феи Убивающего Домика уже разнеслась по всей стране, но среди Жевунов не найдётся ни одного предателя, который выдал бы эту новость Кабру Гвину.

Отправив Жевунов по домам, Элли, Кагги-Карр и Тотошка устроили военный совет. На этом совете все пришли к тому мнению, что силы их пока слишком слабы для далёкого и опасного путешествия в Изумрудный город. Но у них есть сильный союзник и верный друг — Смелый Лев.

Живя в своём отдалённом лесу, Лев едва ли знает, какая беда постигла его друзей. Было решено, что Кагги-Карр отправится к нему и призовёт его в страну Жевунов. Под защитой Смелого Льва путешествовать будет легче и безопаснее.

Вороне был дан строгий наказ никому, кроме Льва, не открывать тайну прибытия Элли и её спутников в Волшебную страну.

Ворона пообещала хранить тайну и улетела.

НАКАЗ НЕ ВЫПОЛНЕН

В лес, где царствовал Смелый Лев, ворона долетела без приключений. Узнав печальные вести о пленении Страшилы и Железного Дровосека, Лев очень расстроился и даже всплакнул, утирая слёзы кисточкой хвоста. Но сообщение о прибытии Элли его утешило. Оставив Тигра своим заместителем на царстве, Смелый Лев отправился в путь. Так как Кагги-Карр могла передвигаться гораздо быстрее, она решила остановиться по пути на несколько дней в Изумрудном городе.

Прежде всего ворона направилась на тюремную башню к Страшиле и Железному Дровосеку. Появление давно исчезнувшей вестницы привело друзей в дикий восторг: её не было так долго, что они считали Кагги-Карр погибшей и готовились к самому худшему.

И тут Кагги-Карр поступила крайне неблагоразумно. Она забыла, что ей был дан строгий наказ хранить в тайне прибытие Элли в Волшебную страну. Свидевшись со старыми друзьями после долгой разлуки, Кагги-Карр потеряла голову и на радостях выболтала то, о чём нельзя было говорить.

Не могла же ворона не похвастать тем, что блестяще выполнила данное ей поручение и привела на помощь не только Элли, но и её дядю Чарли Блека, бывалого путешественника и необычайного искусника на разные выдумки.

От восхищения друзья чуть не задушили Кагги-Карр в своих объятиях, и лишь после этого она спохватилась, что сделала страшную глупость, но было уже поздно. Чтобы хоть несколько поправить дело, ворона взяла с друзей слово, что великая тайна останется между ними и никто больше её не узнает.

Страшила важно ответил:

— Положись на мои мудрые мозги: они знают, что такое тайны и как их хранить. И знаешь, Кагги-Карр, у меня тоже есть важная новость: Дровосек выучил меня считать и делать в уме все арифметические действия с числами до тысячи. Это не давало нам скучать, а мне очень пригодится, когда я снова вступлю на трон Изумрудного города.

Ворона рассеянно поздравила Страшилу с таким достижением и с тяжёлым сердцем отправилась в город. Печальный был у города вид! Он уже не сиял издали чудесным зеленоватым светом изумрудов.

Изумруды были выковыряны из ворот города, где они поражали глаз впервые подошедшего путника, и с верхушек башен, и с дворцовых шпилей. Даже из стен домов и из мостовых, где были не изумруды, а просто куски хрусталя, все украшения были вынуты. Город выглядел скучно и хмуро, фонтаны в парке не били разноцветными струями, пышные клумбы цветов засохли, парковая зелень увяла.

На дворцовой стене, где когда-то красовался в блестящих латах Дин Гиор с роскошной бородой, теперь торчала нелепая фигура оранжевого деревянного солдата с облупившейся краской на груди и на спине.

Кагги-Карр была голодна после долгого перелёта в этот день и потому прежде всего отправилась во дворец.

Она надеялась найти там своего друга повара, который когда-то служил еще Гудвину, а потом щедро угощал Кагги-Карр во времена владычества Страшилы Мудрого.

Она не ошиблась в расчётах: повар Балуоль не нашёл в себе силы расстаться с великолепной дворцовой кухней и её вкусными яствами и скрепя сердце остался на службе у тирана.

Толстяк Балуоль радостно встретил старую знакомую и выставил кучу остатков от обеда. Пока Кагги-Карр насыщалась, повар, соскучившийся в одиночестве, выкладывал ей новости.

Скверно шли дела в Изумрудном городе с тех пор, как Урфин Джюс захватил власть. Жители Изумрудного города прежде были самым беспечным и весёлым народом на свете. А сейчас из их

сердец исчезла радость, отравленная злыми и мелочными продел-
ками правителя.

Но, по словам Балуоля, Урфин и сам немного получил радости, став повелителем Изумрудного города. Подавая блюда, повар
наблюдал, как диктатор сидел во главе стола, угрюмо слушал
льстивые речи придворных, и чувствовалось, что он не менее оди-
нок, чем тогда, когда был простым столяром в стране Жевунов.
Наверно, тогда он мог легче привлечь к себе сердца людей, чем
теперь, когда все они ненавидели его или угождали ему только из
выгоды.

Наевшись до отвала, ворона поблагодарила Балуоля и распро-
щалась с ним до следующего дня. На этот раз она благоразумно
держала язык за зубами и ни словом не обмолвилась о цели своего появления в Изумрудном городе.

Ворона принялась шнырять по городу, усаживалась на подо-
конники или пороги открытых дверей и подслушивала разговоры
горожан. Она убедилась, что жители Изумрудного города готовы
были пожертвовать всем, чтобы вернуть утерянную свободу.

Кагги-Карр стало ясно и то, что, заточив Дровосека и Страшилу
в высокой башне, так, чтоб они были видны отовсюду из города,
Урфин Джюс ошибся в расчётах. Он полагал, что при виде их горожане станут восхвалять его силу и великодушие. Получилось

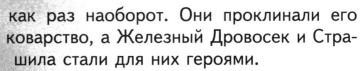

как раз наоборот. Они проклинали его коварство, а Железный Дровосек и Страшила стали для них героями.

Когда Кагги-Карр рассказала об этом Страшиле, она совершила новый неосторожный поступок.

Страшила страшно возгордился своим собственным мужеством. Воинственный дух переполнил его до такой степени, что он не мог сдержать его в соломенной груди. Завидев внизу кучку людей, он просунул голову между прутьями решётки и крикнул, чтобы они собрали побольше народу: он хочет сказать речь.

Весть об этом быстро разнеслась по городу и окрестным фермам. Под башней собралась большая толпа, что изумило бы стражей, если бы в их дубовые головы могло проникнуть изумление.

Страшила произнёс пылкую речь. Он призывал жителей Изумрудной страны проявить мужество и всячески сопротивляться захватчикам. Вдобавок, забыв про тайну, он объявил, что скоро его и Железного Дровосека выручит из неволи Элли, которая уже находится в стране Жевунов!

Напрасно старались удержать его Дровосек и Кагги-Карр. Страшила продолжал яростно выкрикивать обидные слова и угрозы Урфину Джюсу.

Дуболомы ничего не поняли, но, на беду, внизу появился Руф Билан. Услыхав похвальбу Страшилы, главный распорядитель сразу понял, какое важное известие он может сообщить диктатору. Приказав деревянным солдатам разогнать толпу, Руф Билан рысцой побежал в город.

Явившись к Урфину Джюсу, Билан доложил, что Страшила произнёс с башни зажигательную речь и в ней объявил о прибытии в Волшебную страну девочки Элли, той самой Элли, которая год назад уничтожила злых волшебниц — Гингему и Бастинду!

Лицо Урфина Джюса посерело от страха, но он притворился спокойным и распорядился:

— Бунтовщика Страшилу запереть на три дня в подземный карцер, а девчонку Элли поймать и доставить в Изумрудный город, здесь я с ней расправлюсь!

После того как солдаты отогнали толпу от башни дубинками, Кагги-Карр укоризненно сказала:

— Недолго же твои мудрые мозги хранили тайну, Страшила!

Страшила угрюмо молчал. Впрочем, ворона не стала его бранить: она понимала, что виновата во всём сама. Теперь надо было думать о том, как исправить положение. Но в тот момент, когда друзья начали обмениваться мнениями, на лестнице раздались тяжёлые шаги: это поднималась деревянная стража взять Страшилу. Первые два солдата полетели с площадки вниз, сброшенные могучими руками Железного Дровосека. Нелегко оказалось одолеть его и пришлось вызвать подкрепление. Когда дуболомы заполнили верхний пролёт лестницы и вылезавшим вверх уже некуда было падать, враги задавили Железного Дровосека своей массой и связали ему руки.

Страшилу отнесли в карцер и там подвесили к гвоздю, вбитому в стену. Страшила презрительно ухмыльнулся и начал делать в уме арифметические действия.

Своим крепким клювом Кагги-Карр освободила руки Дровосека и посоветовала ему не бунтовать до её возвращения с Элли.

— А то так и будешь сидеть связанный! Я же отправлюсь в страну Жевунов. Как жаль...

Чего было жаль вороне, она не договорила, но Дровосек её понял. Она жалела, что распустила язык и ввела в соблазн несдержанного Страшилу.

ВСТРЕЧА СО СМЕЛЫМ ЛЬВОМ

Через три недели ожидания в дальней роще послышался громовой рёв: это Смелый Лев спешил к Элли.

Девочка бросилась к нему навстречу. Она обхватила руками его мощную шею, на которой красовался золотой ошейник — подарок Мигунов, перебирала пышную гриву, целовала жёсткие усы и огромные жёлтые глаза. А Смелый Лев растянулся на траве, скрёб передними лапами землю и мурлыкал от счастья, как гигантский котёнок.

— Ах, Элли, Элли, — без конца повторял Лев, — как я счастлив, что снова с тобой! Я даже забываю, что в дальней дороге стёр лапы до крови...

Элли взглянула на лапы Льва и вскрикнула от жалости: они действительно были в ужасном состоянии.

— Мы вылечим их, милый Лев! Дядя Чарли приготовил чудесное масло из мякоти ореха, оно поможет тебе...

Моряк вежливо приветствовал Льва, и тот сразу принял его в число своих друзей.

Из лесу выбежал Тотошка, пугавший на деревьях птиц.

Встреча Льва и Тотошки была самой сердечной. Они важно пожали друг другу лапы, а потом огромный зверь притворился, будто хочет проглотить пёсика, как это было несколько месяцев назад. Тотошка сначала сделал вид, что страшно испугался, а потом стал прыгать вокруг Льва, стараясь ухватить его за кисточку хвоста. И теперь Лев представился испуганным, поджимал хвост и вертелся вокруг себя.

Глядя на проделки друзей, Элли хохотала до слёз.

— Клянусь моей деревянной ногой! — воскликнул Чарли Блек. — Это самое уморительное зрелище, какое я когда-либо видел!

— А где же Кагги-Карр? — спохватилась наконец Элли. — Разве она не с тобой?

— Нет, я путешествовал один, — ответил Лев. — Передав мне твоё поручение, ворона сказала, что ей обязательно надо побывать в Изумрудном городе.

Моряк мрачно покачал головой:

— Зачем её туда понесло? Ох, натворит она там что-нибудь...

— Ну что ты, дядя Чарли, — вступилась Элли, — Кагги-Карр — умная птица.

— Ума у неё достаточно, — проворчал моряк, — но не меньше и хвастовства.

Чарли смазал израненные лапы Смелого Льва ореховым маслом и забинтовал полосками мягкой коры. Лев сразу почувствовал облегчение и растянулся на траве, а Элли сидела рядом и играла кисточкой его хвоста.

— А как ты добрался до нас, мой старый друг? — спросила девочка.

— Дорогой у меня были две маленькие неприятности и одна большая, — сказал Лев, поглаживая лапой свой золотой ошейник.

— Маленькие неприятности: мне дважды пришлось переплывать Большую реку. Ты знаешь, Элли, где это было: где нас застигло наводнение и там, где мы чуть не потеряли Страшилу. Но я эти неприятности перенёс легко. Но третья... ах, третья...

Лев сморщился и застонал.

— Да говори же! — нетерпеливо воскликнула Элли.

— Ну, от кого же могла быть третья неприятность, как не от этих проклятых саблезубых тигров! С тех пор как Гудвин дал мне выпить смелость из золотого блюдца, я этих чудовищ ничуть не боюсь, но ведь надо же было пройти через их лес невредимым. Что толку, если бы я геройски погиб в бою, а ты, Элли, ждала бы меня здесь недели и месяцы! И вот я решил пробраться через Тигровый лес втихомолку. Я бесшумно скользил по дороге, вымощенной жёлтым кирпичом, и мечтал только о том, чтобы благополучно минновать опасное место, ты знаешь — то, между оврагами. И вдруг я услышал справа от дороги, немного впереди меня, тяжёлое сопение; повернув голову, я увидел в зарослях ярко горящие глаза. И в этот миг шорох и возня донеслись до меня и слева: там тоже был враг! Тут я позабыл про свои избитые лапы и сделал такой великолепный скачок, какого, думаю, не совершал ещё ни один лев на свете. И в это самое мгновение два огромнейших тигра прыгнули на дорогу, рассчитывая схватить меня. Они промахнулись самую чуточку и сшиблись грудь с грудью. Посмотрели бы вы, какая у них началась грызня! Наверно, каждый из них винил другого за

то, что от него ушла добыча... От их рёва дрожал весь лес, а клочья шерсти летели выше самых высоких деревьев. Но мне некогда было любоваться этим восхитительным зрелищем, я улепётывал изо всех сил, пока не оставил позади Тигровый лес. Вот какая была третья и самая крупная неприятность, — закончил Лев.

Кагги-Карр явилась на следующий день. Вид у неё был настолько сконфуженный, что моряк понял: оправдались его худшие опасения.

— Говори! — сурово сказал он вороне.

Та не решилась скрыть правду и рассказала всё, как было. Узнав, что Урфину стало известно о прибытии Элли в страну Жевунов, все очень огорчились. Глядя на расстроенное лицо девочки, ворона быстро проговорила:

— Да, я виновата! Но простите, милые друзья! Я проведу вас к Изумрудному городу так, что об этом не узнают шпионы Урфина...

Моряк и Элли вспомнили, как Кагги-Карр спасла их в пустыне от верной смерти... и простили свою легкомысленную подругу.

Ворона сразу повеселела и начала рассказывать обо всём, что видела и слышала в Изумрудном городе.

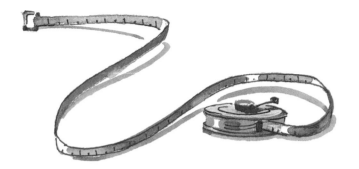

ОСВОБОЖДЕНИЕ ЖЕВУНОВ

Лев лежал на траве кверху брюхом, раскинув лапы, а Элли смазывала их целебным маслом. Моряк Чарли наводил порядок в своём рюкзаке, раскладывая по карманам инструменты, гвозди, мотки бечёвок...

Из его рук выскользнула плоская круглая коробка и упала на землю возле Элли. Девочка, потянувшись за флаконом с маслом, наступила на коробку, нажалась какая-то кнопка, и вдруг... из коробки вырвалась блестящая лента и с жужжанием ринулась на Льва!

Лев, быстрый, как все лесные звери, сделал, извернувшись, огромный прыжок, и через две секунды можно было видеть только его испуганную морду, выглядывавшую из ближней чащи.

— Что с тобой? — спросила Элли.

— Змея!.. Там змея... — пробормотал Лев, со страхом глядя на светлую ленту, которая теперь лежала неподвижно.

Элли расхохоталась.

— Милый Лев, да это же рулетка дяди Чарли, — объяснила она, когда смогла говорить. — Ну понимаешь, это стальная лента с делениями, ею меряют расстояния.

— Она... она не живая?

— Да что ты!

Элли взяла конец рулетки и поднесла ко Льву. Тому пришлось собрать всю свою силу воли, чтобы не удрать.

— А почему она шипела?

Элли смотала ленту, и снова та вылетела из коробки с жужжанием. Лев задрожал всем телом, но храбро выстоял на месте: недаром же он получил от Гудвина смелость!

147

Прошло несколько дней. Теперь можно было отправляться в путь, так как лапы Льва уже зажили. Но всем, и особенно моряку Чарли, не хотелось оставлять страну Жевунов под властью жадного Кабра Гвина и его деревянных солдат.

— Клянусь попутным ветром! — говорил Чарли. — Надо освободить славных Жевунов! А кроме того, военная наука, с которой я познакомился на море, говорит, что нельзя оставлять неприятеля в тылу: он может напасть на тебя сзади.

Главная трудность была в том, что Чарли не мог сражаться со всеми деревянными солдатами сразу, а мог расправляться с ними только поодиночке. Но как подстеречь их по одному, когда они ходили всегда целым взводом под командованием краснолицего капрала?

После недолгих размышлений, посоветовавшись с Жевунами, моряк придумал хороший план. Он очень кстати вспомнил, что когда-то неплохо владел лассо — не хуже бывалого ковбоя.

Под вечер, когда солнце склонилось к закату, в поместье Према Кокуса, где жил наместник Урфина Кабр Гвин, явился запыхавшийся Жевун и попросил свидания наедине.

— Достопочтенный господин наместник, — тихо заговорил Жевун, — никто не подслушает тайну, которую я намерен вам открыть?

— Говори!

— Мне удалось узнать, что у одного богатого купца скрыт в доме мешок золота...

Глаза Кабра Гвина загорелись жадным блеском.

— Где живёт этот купец?

— Достопочтенный господин, доносчику полагается десятая часть...

— Ты её получишь, — рявкнул Кабр Гвин. — Завтра отведёшь нас в этот дом.

— Достопочтенный господин, сегодня ночью купец намерен зарыть сокровище в лесу, и тогда его никому не найти...

— Идём сейчас!

Шествие направилось в таком порядке: впереди капрал вёл проводника, крепко держа его за руку, сзади шагал взвод, а позади всех шёл наместник.

После получаса ходьбы свернули с проезжей дороги на тропинку, где дуболомы могли идти только по одному. Тропинка привела к речке, через которую было перекинуто бревно. Капрал пропустил проводника вперёд. За речкой тропинка сразу поворачивала вправо и круто спускалась на полянку, обрамлённую деревьями.

Бревно было скользкое, краснолицый капрал осторожно переступал по нему деревянными ступнями, а Жевун перебежал быстро и ловко. Выйдя на лужайку, капрал раскрыл рот, чтобы позвать исчезнувшего проводника, но в этот момент из кустов со свистом вылетело лассо, петля охватила шею капрала и потащила его вниз.

Капрал, кувыркаясь, выпустил саблю, покатился под откос, и в тот же миг из-за деревьев выскочили несколько Жевунов и утащили его в лес. Чтобы звон бубенчиков не выдал их присутствия, Жевуны сняли шляпы, отправляясь на опасное предприятие. Всё было проделано так быстро и ловко, что капрал не успел даже открыть рот.

150

А у моряка Чарли был в руках уже другой аркан. Зелёный дуболом появился на лужайке — новый взмах лассо, новый пленник у новой группы Жевунов...

В десять минут всё было кончено, Кабр Гвин лишился своих защитников. Когда он, ещё ничего не подозревая, перебрался по бревну, к нему, прихрамывая, подошёл моряк Чарли и с насмешливой улыбкой посмотрел на него с высоты своего роста.

— Ваша песенка спета, господин бывший наместник, — хладнокровно сказал Чарли. — Отдайте ваш кинжал, а то, не ровён час, порежетесь!

Кабр Гвин, выкатив глаза, бешено заорал:
— Дуболомы! На помощь!

— Не зовите зря солдат, они в плену. Убедившись, что сопротивление бесполезно, Кабр Гвин сдался.

На следующее утро в поместье Према Кокуса, восстановленного в должности правителя, был суд над Кабром Гвином. На обширном дворе собрались сотни мужчин и женщин.

Наиболее ожесточённые Жевуны предлагали казнить предателя, другие стояли за вечное заточение, третьи считали, что следует послать бывшего наместника в горы, в рудники, добывать железную руду.

Слова попросил моряк Чарли.

— А я полагаю, — спокойно начал он, — что надо Кабра Гвина отпустить в Изумрудный город, к его повелителю Урфину Джюсу... Мы его отпустим без солдат, и пусть он один отправляется в Изумрудный город по дороге, вымощенной жёлтым кирпичом...

Кабр Гвин понял, и его глаза побелели от страха. Он закричал безумным голосом:

— Идти одному через Тигровый лес? Нет, нет, нет! Лучше отправьте меня в рудники, я буду стараться изо всех сил!

Развеселившиеся Жевуны кричали:

— Но мы же тебя отпускаем!

— На съедение саблезубым тиграм?.. Хочу в рудники!

Обезоруженных и связанных дуболомов сложили поленницей во дворе Према Кокуса до того времени, когда придумают, как их использовать.

Элли и её спутники двинулись в путь. Снова, как и год назад, башмачки Элли застучали по жёлтым кирпичам твёрдой дороги, но не волшебные серебряные башмачки, а обыкновенные, козловые, на прочных кожаных подошвах.

И снова шёл рядом с Элли огромный Лев и бежал весёлый Тотошка, но Страшилу и Железного Дровосека заменяли одноногий моряк Чарли и сидевшая на его плече ворона Кагги-Карр. И были с ними несколько сильных молодых Жевунов, которые несли провизию и вещи путников.

КАК БЫЛИ НАПУГАНЫ САБЛЕЗУБЫЕ ТИГРЫ

Жевуны проводили Элли и её спутников до границ своей страны. Когда остались позади последние фермы и вдоль дороги потянулся угрюмый лес, Жевуны сложили поклажу на дорогу и низко склонились перед Элли.

— Прощай, милостивая госпожа Фея Убивающего Домика! Не сердись за то, что мы не решаемся идти дальше. Но там так жутко, и пустынно, и одиноко...

Жевуны горько заплакали и поставили шляпы на дорогу, чтобы бубенчики своим звоном не мешали им рыдать.

— Прощайте, милые друзья, — ответила Элли. — И перестаньте, пожалуйста, плакать, ведь вы теперь свободны, и, надеюсь, навсегда!

— Правда, правда, а мы ведь и забыли об этом.

И Жевуны разразились дружным смехом. Эти простосердечные маленькие люди удивительно быстро переходили от одного настроения к другому.

Когда фигурки Жевунов исчезли за поворотом дороги и смолк мелодичный звон их бубенчиков, путники пошли своей дорогой.

В стороне от дороги на лесной просеке показалась небольшая хижина. Элли узнала её.

— Это хижина Железного Дровосека! — радостно закричала она. — Здесь мы ночевали со Страшилой, а утром увидели самого Дровосека. Бедняжка стоял под деревом, неподвижный как статуя, и только мог стонать. Помнишь, Тотошка?

— Помню, — мрачно ответил пёсик. — Я тогда чуть не сломал зуб, когда укусил его за ногу. Признаюсь: это было моей ошибкой, потому что Дровосек оказался славным человеком. Но ведь мой долг — защита Элли. Не знал же я, что Дровосек сделан из железа.

Уже спускалась ночь, и путники решили переночевать в хижине Дровосека, что избавило их от необходимости разбивать палатку.

153

Правда, для моряка хижина оказалась короткой, и его ноги торчали из раскрытой двери.

Под вечер следующего дня Лев сказал:

— Скоро мы дойдём до моего родного леса, где я впервые встретился с Элли. Там мы переночуем на чудном мягком мху, под чудными развесистыми деревьями, у чудного глубокого пруда, где живут чудные лягушки, у которых самые громкие голоса в Волшебной стране.

— Удивляюсь, — насмешливо сказал Тотошка, — как это ты решился покинуть такое чудное место и поселиться в чужом лесу?

— Что ж поделаешь, государственные обязанности, — вздохнул Лев, потрогав лапой золотой ошейник. — Уж коли меня там выбрали царём...

Через два дня дорога, вымощенная жёлтым кирпичом, упёрлась в лес, где жили саблезубые тигры. Послышалось отдалённое низкое рычание, похожее на отзвуки дальнего грома, и у путников стало нехорошо на душе.

Чарли Блек скомандовал остановку.

— Надо готовиться к переходу через Тигровый лес, — сказал он.

— Что ты думаешь делать, дядя Чарли? У тебя есть какое-нибудь средство? — с любопытством спросила Элли.

— Разве ты опять забыла, что мы несём с собой всепревращальное полотнище? — ответил моряк.

— Не знаю, как оно может нам помочь!

— О, оно способно на всякие чудеса!

Моряк достал из рюкзака полотнище и слегка надул его. Потом разостлал на краю дороги, порылся в одном из бесчисленных клапанов рюкзака, извлёк оттуда флакончик с краской, кисточку и принялся за дело.

Он нарисовал на полотнище страшную звериную морду с огромной гривой, огромными глазами, огромной раздвинутой пастью, в которой торчали огромные острые зубы...

Когда рисунок высох, Чарли перевернул полотнище и повторил изображение на другой стороне. Тут его фантазия разыгралась, и он добавил зверю огромные изогнутые рога.

Затем Чарли срубил два тонких деревца, очистил от веток и привязал между ними полотнище так, что можно было нести его, держа за шесты.

Нижние концы шестов моряк заострил. Когда он воткнул их в мягкую землю возле дороги, с высоко поднятого полотнища глянул чудовищный зверь. Полотнище было натянуто не очень туго, ветер шевелил его, и казалось, что чудище щурит глаза и скалит зубы.

Спутники Чарли почувствовали себя не очень уютно. Даже Смелому Льву стало не по себе, Тотошка с визгом полез под львиное брюхо, а Кагги-Карр зажмурила глаза.

— Подождите, — ухмыльнулся моряк, — то ли ещё будет, клянусь всеми колдунами и ведьмами!

Вечерело. Мрак быстро спустился на землю, и вдруг нарисованная морда чудовища начала светиться, и чем темнее становилось вокруг, тем ярче она светилась. Казалось, глаза зверя мечут искры, пасть извергает потоки пламени, по гриве и рогам перебегает огонь.

— Дядя Чарли, что это? — в испуге спросила Элли, прячась за спину моряка.

— Не бойся, Элли. Всё очень просто. Краска содержит фосфор, а он светится в темноте.

Элли успокоилась, но Лев, Тотошка и Кагги-Карр ничего не поняли, и голова зверя по-прежнему казалась им таинственной и страшной.

— Я думаю, эти картинки защитят нас от саблезубых тигров, — сказал Чарли. — Однако пора и в путь.

Моряк достал из рюкзака две трубы из гибкой коры и протянул одну из них Элли.

— Когда войдём в Тигровый лес, дуй что есть силы!

Чарли Блек шёл впереди, Элли — сзади, они держали шесты правыми руками, и полотнище двигалось так, что одна звериная морда смотрела направо, другая — налево. Трубы в левых руках Чарли и Элли пронзительно дудели. Рёв их напоминал и вой шакала, и хохот гиены, и мычание буйвола, и голоса всяких иных лесных зверей. К этим устрашающим звукам Лев присоединил свой могучий рык, а ворона пронзительно каркала. Тотошка визжал.

Маленькая компания производила такой дьявольский шум, а огромные звериные морды, словно испускавшие искры, выглядели так зловеще, что саблезубые тигры, лежавшие в зарослях по краям дороги в ожидании добычи, задрожали от ужаса и, поджав хвосты, убрались подальше в лесную чащу.

Ночной поход окончился благополучно, и утром все вышли на берег большой и быстрой реки, где когда-то застрял на шесте Страшила. Здесь утомлённые путники наскоро поели и, даже не разбивая палатки, улеглись спать.

НОВЫЕ ТРЕВОГИ

Компания спала очень долго и проснулась только после полудня. Надо было переправляться. Так как Лев весил намного больше, чем Чарли, Элли и Тотошка вместе взятые, то моряк окружил надувной плот четырьмя толстыми сухими брёвнами, и переправа закончилась благополучно.

Пока Чарли Блек разбирал плот и просушивал полотнище, девочка осматривалась по сторонам.

Знакомые места!

Внизу по берегу краснело коварное маковое поле, едва не усыпившее насмерть её, Льва и Тотошку.

Элли улыбнулась, когда вспомнила, как старались мыши, спасая Льва, и дотронулась до свистка, висевшего у неё на груди.

«Интересно, сохранил ли свисток свою силу и вызовет ли снова королеву-мышь?» — думала Элли.

Переправа через реку совершилась после обеда, и путники долго совещались, стоит ли сразу идти вперёд или остаться здесь до ночи. В конце концов решили дождаться вечера, потому что, хотя деревянные солдаты видят в темноте так же хорошо, как и при свете, всё же благоразумнее пробираться по ночам, и не по большой дороге, а стороной.

Пока остальные отдыхали в густой роще на берегу реки, Кагги-Карр отправилась на разведку. Она летала долго, вернулась усталая, но довольная. На десять миль вперёд ни на дороге, ни на фермах она не увидела ни одного деревянного солдата, значит, этой ночью можно будет идти спокойно по дороге, вымощенной жёлтым кирпичом.

Моряк, знакомый с военными хитростями, полагал, что коварный Урфин Джюс, оставив страну без надзора днём, может выслать дозоры как раз ночью. Поэтому, когда путники, собрав свои немногочисленные пожитки, тронулись в путь, Чарли отправил вперёд Льва. Ведь Лев был ночным зверем и прекрасно видел в темноте.

Лев бесшумно крался на своих бархатных лапах, втянув когти в подушечки, и зорко глядел вперёд и по сторонам. За ним семенил Тотошка, чутко принюхиваясь к ночным запахам.

Кагги-Карр сидела на плече у моряка, и скоро её охватил неодолимый сон. Элли пришлось взять ворону на руки. Скоро и девочке захотелось спать, но она крепилась и шагала, держась за руку Чарли.

Так прошли несколько миль, и вдруг Лев остановился, а Тотошка присел на задние лапы и повернул мордочку назад.

— Я чую запах краски и дерева, — прошептал он.

Сон у Элли мгновенно прошёл, и она испуганно прижалась к дяде Чарли.

Надо было выяснить, много ли деревянных солдат впереди. Если их не больше двух-трёх, можно драться, а если целый взвод — надо отступать.

Тотошка, прижимаясь к земле и почти сливаясь с ней своей чёрной шёрсткой, пополз вперёд. Он вернулся через несколько минут.

— Там двое солдат, — сказал он. — И ещё какой-то третий, и похожий, и не похожий на них. Он тоже деревянный, только тоньше, ноги у него длинные и кривые, а руки похожи на паучьи лапы...

— Фу! — с отвращением прошептала Элли.

Тотошка продолжал свой рассказ:

— Глаза у него зелёные, а уши громадные, с раструбами. Слышит, я думаю, лучше кошки. На что я тихо двигался, и то он сразу насторожился. Потом он отвернулся, а я ползком-ползком да назад!

Кагги-Карр сказала, что это мог быть только полицейский.

Чарли задумался.

— Плохо дело, — сказал он. — С дураками солдатами ничего не стоит справиться, но полицейского нам не поймать. Он убежит, поднимет тревогу, и тогда нам несдобровать.

К счастью, поблизости были заросли высокого, но очень густого колючего кустарника. Изрядно поцарапавшись, оставив на колючках клочки одежды и шерсти, компания пробралась внутрь. Чарли пилкой срезал несколько кустиков, освободил место для палатки, и скоро моряк и Элли крепко спали под охраной Льва и Тотошки.

ПРИКЛЮЧЕНИЕ В ПЕЩЕРЕ

На следующее утро Кагги-Карр полетела на разведку. Вернувшись в полдень, она сказала:

— Ничего не получится. Полицейские стоят на всех дорогах.

— Неужели всё пропало? — в испуге всплеснула руками Элли. — И мы не сможем помочь нашим друзьям?

Кагги-Карр сказала:

— Ещё в детстве я слыхала от дедушки, старого ворона, что в башню ведёт подземный ход. Правда, дедушка говорил, что ход давным-давно заброшен, потому что в нём завелись чудовища...

— Я боюсь только полицейских, — призналась Элли. — Уж если мы прогнали саблезубых тигров, то с подземными чудовищами как-нибудь справимся.

— Но как узнать, где начинается ход? — спросил моряк.

— Пусть Элли воспользуется волшебным свисточком Рамины, — предложила ворона. — Мыши везде шныряют, наверно, они знают и про подземелье.

— А вдруг свисточек не действует? — усомнилась Элли.

— Попробовать-то можно, — сказал Тотошка.

Элли три раза дунула в серебряный свисток. В траве затопотали крохотные лапки, и перед обрадованной Элли появилась Рамина с крохотной золотой короной на голове.

Свисточек вновь получил свою силу в Волшебной стране! И, как всегда, неугомонный Тотошка с лаем кинулся на мышку, но Элли успела подхватить его на руки. Королева-мышь сказала:

— Здравствуйте, милая Фея! Этот маленький чёрный зверёк всё так же не любит наше племя?

— О, ваше величество! — воскликнула Элли. — Простите меня, я потревожила вас... Ваше величество, где-то в окрестностях есть вход в подземный коридор, ведущий в тюремную башню. Помогите нам найти его!

— Это легче сделать, чем вывезти Льва из макового поля, — ответила Рамина.

Она хлопнула передними лапками, и к ней подбежали несколько фрейлин.

— Соберите моих подданных, живущих в этой местности, — приказала королева.

— Будет исполнено, ваше величество!

Фрейлины исчезли, и вскоре возле королевы начали собираться маленькие мыши, средние мыши, большие старые мыши. Одну древнюю старушку мышь три правнучки привезли на листе фикуса: она лежала на спине и беспомощно болтала лапками в воздухе.

Услышав приказ королевы, мыши разбежались во все стороны, только старушку попросили остаться на месте.

— Вам, бабушка, нужен покой, — сказала ей королева, — вы много поработали на своём веку.

— Да, я много и славно поработала, — прошамкала старушка беззубым ртом. — Сколько я изгрызла больших вкусных сыров и толстых жирных колбас! Сколько кошек одурачила я за свою жизнь, сколько мышат вывела в уютной норке...

Старая мышь закрыла глаза и погрузилась в блаженную дремоту.

— Милая сестра, — сказала девочке королева мышей, — вы правильно решили воспользоваться подземным ходом, но и там можете столкнуться с большой опасностью.

— С чудовищами, которые там завелись? — спросила Элли.

— Насчёт чудовищ я ничего не знаю, но в этих краях под землёй лежит страна рудокопов.

— Подземная страна рудокопов? — Глаза Элли стали круглыми от изумления. — Возможно ли это?

— В Волшебной стране всё возможно, — спокойно сказала Рамина.

— Они злые? — дрожащим голосом спросила девочка.

— Как сказать... Подземные рудокопы никого не трогают, но они не терпят, чтобы кто-нибудь вмешивался в их дела. Даже с теми, кто пытается подсмотреть, как они живут, они обращаются очень сурово. И если вам придётся повстречаться с подземными рудокопами, будьте осторожны и постарайтесь не разгневать их.

— А почему их называют рудокопами?

— Видите ли, они там у себя добывают разные руды и выплавляют из них металлы. И не только металлами богата их страна, там множество изумрудов.

— У них тоже есть Изумрудный город?

— Нет. Изумруды и металлы они отдают верхним жителям в обмен на зерно, фрукты, плоды и на другие съестные припасы. Это у них Гудвин приобрёл изумруды; они стоили ему недёшево, но он не считался с расходами, когда строил великолепный город.

— Значит, рудокопы иногда выходят на поверхность?

— Их глаза не выносят дневного света, и мена происходит ночной порой вблизи от входа в их страну.

Элли хотела ещё спросить у Рамины о жизни рудокопов, но в это время начали возвращаться посланные на разведку мыши. Они приходили сконфуженные, и когда собрались все, выяснилось, что ни одна из них не обнаружила никаких признаков подземного хода.

— Мне стыдно за вас, мыши! — с негодованием сказала королева. — Неужели ваша повелительница сама должна идти на розыски?

— О нет, нет! — хором запищали мыши. — Мы снова пустимся в разведку, и тогда...

— Подождите, детки! — сказала старая мышь. — Когда я была молодая, я видела на востоке отсюда, в пятнадцати тысячах шагов, в стене заросшего оврага какое-то отверстие. Не это ли вы ищете?

— О, наверное, это самое! — в восторге вскричала Элли. — Спасибо, бабушка!

К королеве-мыши вернулось достоинство, и она сказала:

— Идите в том направлении, милая сестра. Но если это не тот ход, призовите меня, и я снова явлюсь перед вами.

Все мыши мгновенно исчезли, к великому разочарованию Тотошки, который мечтал, что ринется в эту огромную стаю и наделает в ней переполоху.

Пёсик сбегал на разведку, убедился, что поблизости нет врагов, и компания двинулась на восток.

Когда было пройдено, по расчёту, пятнадцать тысяч мышиных шагов, показался овраг, и в нём путники нашли полуобвалившееся отверстие, из которого тянуло сыростью и гнилью.

— Конечно, это то самое! — закричала Элли.

Тотошка принюхался и сказал с тревогой:

— Не нравятся мне запахи, которые идут оттуда.

Лев принялся работать своими мощными лапами, расчищая проход. Тем временем одноногий моряк срубил смолистую сосенку и приготовил два десятка факелов.

Путники осторожно вошли в подземную галерею. Первым шёл Лев (ворона сидела у него на голове), за ним — Элли с Тотошкой на руках. Шествие замыкал моряк Чарли, держа над головой зажжённый факел. В сыром и мрачном подземном ходе никто, по-видимому, не бывал уже десятки лет. Толстые крепи, поддерживавшие потолок и стены, позеленели от времени и поросли мхом. В углублениях земляного пола стояли лужи воды, в которых копошились отвратительные слизняки. Элли переезжала через лужи на спине Льва.

Воздух становился всё тяжелее и удушливее: ход спускался вниз.

Потом он начал снижаться настолько круто, что в полу были вырублены ступеньки, и он превратился в лестницу.

Вдруг перед путниками открылась огромная пещера с каменными стенами и потолком. Она была так велика, что дальний край её терялся во мраке. Элли в испуге прижалась ко Льву.

— Как тут пусто и страшно! — прошептала она.

Ворона полетела вперёд.

Чарли Блек зажёг второй факел и подал его Элли. Он прошёл вперёд и медленно продвигался, ощупывая почву дорожной палкой.

Путники прошли около тысячи шагов, миновав входы в несколько боковых гротов, когда навстречу им метнулась Кагги-Карр с воплем:

— Здесь страшное чудовище!

При свете факелов стало видно, что из тёмного отверстия в стене пещеры вылезает какой-то огромный неведомый зверь. У него было толстое круглое туловище, покрытое густой белой шерстью, и шесть коротких толстых лап с длинными когтями. Голова чудища, круглая и толстая, сидела на короткой шее, и в широко раскрытой пасти виднелось множество коротких острых зубов.

— Ой, Шестилапый! — в страхе воскликнула Элли, отступая.

Самым странным в наружности Шестилапого были его огромные круглые белые глаза, в которых отражался багровый свет факелов. По-видимому, глаза эти, привычные к темноте, были ослеплены внезапным светом, и зверю приходилось надеяться только на

своё чутье. Он стоял на своих массивных лапах и принюхивался, раздувая большие круглые ноздри. Незнакомый запах живых существ раздражал его. Он испустил низкое хриплое рычание. На это рычание Смелый Лев ответил громовым рёвом, эхо которого покатилось под сводами пещеры.

— Пропустите меня! — рявкнул Лев. — Я ему пооборву лишние лапы!

Он прыгнул вперёд и со страшной силой ударил Шестилапого грудью в бок. Намерение Льва было сбить противника с ног и перервать ему когтями горло. Но зверь на своих шести низких толстых лапах стоял непоколебимо как скала. Лев покатился по земле, ударившись о чудовище, а Шестилапый с неожиданным для его массивной туши проворством цапнул Льва зубами за плечо.

Лев понял, что имеет дело с очень опасным противником, и изменил своё поведение. Он закружился вокруг Шестилапого, стараясь зайти сзади, но тот, руководимый не то чутьём, не то острым слухом, всё время держался головой к врагу.

Чарли мучительно соображал, чем можно помочь Льву. Он вспомнил про лассо, висевшее у него на рюкзаке, и сунул свой факел Элли.

— Хорошенько свети, девочка!

Удивительная вещь! До этого Элли дрожала от страха, но как только ей поручили ответственное дело, страх сразу исчез, и девочка думала лишь о том, как бы у неё не погасли факелы. Если бы это случилось, все преимущества оказались бы на стороне Шестилапого, привыкшего к подземной тьме.

Моряк Чарли размахнулся, и петля обвила шею зверя. Чарли потянул аркан и с проклятием от-

пустил его: сдвинуть с места Шестилапого было всё равно что опрокинуть дом.

Все описанные события произошли очень быстро. Лев ещё кружился вокруг Шестилапого, стараясь зайти ему в тыл, когда в борьбу вмешалась Кагги-Карр. Она опустилась на голову зверя и начала долбить его своим острым клювом. Страшная боль заставила Шестилапого позабыть осторожность, и он отчаянно замотал круглой башкой, безуспешно пытаясь сбросить маленького, но дерзкого врага.

Воспользовавшись этим, Лев вскочил на спину противника и принялся рвать её когтями. Но шкура зверя оказалась такой крепкой, что в воздух летели только клочья белой шерсти, залепляя глаза Льву.

Шестилапый, раздражённый тем, что на его спине хозяйничает враг, вдруг покатился по земле. Он раздавил бы Льва, но тот оказался проворнее и успел спрыгнуть. Хрипло дыша, Шестилапый перекатился через себя и встал на ноги. Всё приходилось начинать сначала, но зверь казался неуязвимым. А обойти его и продолжать путь представлялось опасным: Шестилапый наверняка пустится в погоню.

В этот момент случилось то, чего никто не ждал. Воспользовавшись тем, что Шестилапый всё время держался головой к Смелому Льву, Элли подскочила к чудовищу сзади и с пронзительным визгом ткнула горящими факелами в его бока. Загорелась густая свалявшаяся шерсть, в воздухе противно запахло палёным рогом, и Шестилапый с воем, похожим на раскаты отдалённого грома, помчался в темноту, сбив по дороге Льва.

Нестерпимая боль гнала зверя вперёд, он мчался, как-то нелепо выбрасывая толстые ноги, а наши путники побежали в противоположную сторону. Но как ни быстро они пустились в бегство, моряк успел подхватить аркан, свалившийся с шеи Шестилапого: аркан ещё мог понадобиться.

СТРАНА ПОДЗЕМНЫХ РУДОКОПОВ

Путники спешили оставить место боя. Скоро пещера начала суживаться и перешла в скалистый коридор, круто подымавшийся вверх.

Чарли боялся только одного: не встретиться бы с другим чудовищем, битва здесь была бы безнадёжной. Но ворона спокойно летела впереди, Тотошка не выказывал тревоги, и моряк перестал опасаться.

Коридор расширился и перешёл в широкую ровную площадку.

— Я устала, дядя Чарли, давай отдохнём, — заявила Элли.

Лев растянулся на полу, девочка удобно расположилась на его мягком широком боку и уже начала дремать, но в этот момент Тотошка, шнырявший по площадке, сердито заворчал.

В Волшебной стране Тотошка ворчал очень редко, предпочитая разговаривать по-человечески, и его рычание обозначало, что случилось что-то очень важное.

Элли вскочила.

— Тотошка, что с тобой?

Пёсик стоял у стены, в которой на высоте трёх футов над полом виднелось отверстие, похожее на круглое окно. Тотошка, подняв морду к отверстию, злобно рычал, и шерсть на нём взъерошилась. Девочка давно уже не видела собаку такой сердитой: как видно, за окном была опасность.

Элли подбежала к окошку, взглянула в него и увидела поразительное зрелище: перед ней раскинулась целая страна. Впечатление было такое, будто Элли стояла на верхушке огромной горы и смотрела вниз. И там, внизу, на неизмеримой глубине, виднелись луга, за ними город на берегу большого озера, а дальше — поросшие лесом гряды холмов, терявшиеся в золотистом тумане...

У Элли закружилась голова, девочке показалось, что она падает со страшной высоты, и она с криком отпрянула назад.

— Дядя Чарли, за стеной страна Подземных рудокопов!

— Что? — Моряк поднялся, прихрамывая, подошёл к отверстию, взглянул, свистнул от удивления. — Да, оказывается, королева мышей говорила правду!

Всё было забыто: и усталость, и только что происшедший бой, и Страшила с Дровосеком, ожидавшие помощи на тюремной башне... Чарли вытащил подзорную трубу, раздвинул её, наладил по глазам...

— Клянусь айсбергами полярных морей! — воскликнул он. — Это необыкновенно!

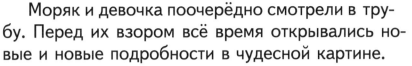

Моряк и девочка поочерёдно смотрели в трубу. Перед их взором всё время открывались новые и новые подробности в чудесной картине.

Колоссальная пещера раскинулась на десятки миль в глубину и на много миль в стороны. Дно её было глубоко внизу, а свод скрывали клубившиеся в высоте золотистые облака. По-видимому, они и освещали всё пространство мягким светом, похожим на тот, какой бывает во время захода солнца.

Пейзаж был красив, но навевал грусть, подобную той, какую испытывает человек поздней осенью при виде увядающей природы. Зелёный цвет здесь совсем отсутствовал в окраске рощ и лугов, его заменяли бледно-жёлтые, розовые, багряные тона.

Внимание моряка и Элли привлёк город, расположенный на берегу озера. Его окружала высокая крепостная стена с башенками по углам и над воротами. В центре города возвышался огромный круглый дворец с крышей, раскрашенной всеми цветами радуги.

— Странная крыша! — воскликнул моряк. — А у крепостной стены я вижу завод! И там в озере, близ берега, вертится громадное колесо, которое, по-видимому, накачивает воду внутрь заводского здания. Должно быть, эта вода даёт им двигательную силу для станков... Но как они вращают колесо? Понять не могу... Посмотри-ка ты, у тебя глаза поострее моих.

Девочка направила трубу, и вдруг её охватил безудержный смех.

— Ой, дядя Чарли... Они там заперли Шестилапого, ха-ха-ха... Он кружится как белка в колесе!..

Моряк выхватил трубу, и к смеху девочки присоединился его басистый хохот.

— Вот это ловко, хо-хо-хо!.. Смотри, смотри, он взбирается на ступеньки, чтобы убежать от воды, а вода всё время догоняет его! Ну и дела!

Остроумное использование силы Шестилапого и тяжести его массивного тела до такой степени восхитило моряка, что он долго не мог оторваться от потешного зрелища.

— Интересно, чем они кормят такую зверюгу?

— Может, рыбой? — предположила девочка.

Моряк и Элли начали гадать, каким образом подземным рудокопам удалось укротить такого страшного зверя, а сами наводили трубу то на луга с красными и жёлтыми травами, то на дальние коричневые холмы...

Но остальные друзья взбунтовались, и пришлось уступить им место у окна. На Льва зрелище не произвело большого впечатления, а Тотошка долго ворчал и взлаивал, весь дрожа от возбуждения. Кагги-Карр выразила желание слетать на разведку в таинственную страну, чтобы потом рассказать друзьям, что она там узнает. Но, увидев под облаками тёмное движущееся пятно подозрительного вида, она благоразумно отказалась от своего намерения. И очень хорошо сделала.

Когда, сменив Кагги-Карр, Элли посмотрела в отверстие, она вскрикнула от ужаса. Даже без трубы девочка увидела, что прямо на них летит крылатое чудовище, похожее на ящерицу, увеличенную в тысячи раз.

Летающий ящер быстро приближался. Он взмахивал громадными кожистыми крыльями, широкая пасть его была раздвинута, и в ней среди длинных острых зубов трепетал красный язык, жёлтые глаза величиной с тарелку были наполовину прикрыты непрозрачной оболочкой. Вид чудовища с чёрной спиной, с грязно-жёлтым чешуйчатым брюхом, под которым болтались сильные когтистые лапы, был очень внушителен.

Но самым поразительным было то, что на спине этого чудища сидел человек.

— Клянусь водопадами! — прошептал моряк, вместе с Элли следивший за полётом дракона. — Эти подземные рудокопы — лихие ребята! Подумать только — они сумели приручить Шестилапого и эту миленькую птичку!..

Летевший на ящере человек в коричневом платье, в колпачке на голове имел воинственный вид. У него было длинное бледное лицо с крючковатым носом, крепко сжатые губы, огромные широко расставленные чёрные глаза... И эти глаза с неумолимой злобой смотрели на Элли!

Девочка вспомнила предупреждение Рамины о том, что подземные рудокопы не любят, когда за их жизнью подсматривают.

Воздушный страж потянул из-за спины длинный лук.

— Дядя, спасайся! — взвизгнула девочка и бросилась на каменный пол, потянув за собой моряка.

Это было сделано вовремя. Стрела прожужжала над их головами и, ударившись в противоположную стену коридора, разлетелась на куски. Тотошка принёс в зубах наконечник стрелы. Он был из закалённого железа, и остриё его не притупилось даже от удара о камень.

— Рифы и отмели! — воскликнул моряк. — С этими подземными жителями опасно связываться. Плохо придётся Жевунам и Мигунам, если команда этого подземного корабля вздумает выбраться наверх. Однако не будем терять времени, пошли дальше!

— Дядя Чарли, мы же ещё не всё рассмотрели! Да и рудокоп улетел...

— Улетел? Гм... Посмотрим.

Одноногий моряк надел шапку на дорожную трость, сунул в отверстие... и шапка слетела, пробитая меткой стрелой.

— Видела? Как бы он не подобрался к окну вплотную!..

Не разговаривая и почти не дыша, путники оставили опасную площадку. И лишь после этого заговорили, перебивая друг друга, делясь впечатлениями от необычайного приключения.

— Да, это действительно Страна Чудес! — воскликнул Чарли Блек. — И чудеса её неисчерпаемы!

Моряк зашагал вперёд, остальные последовали за ним. Через несколько сот шагов компания очутилась перед толстой плотно закрытой дверью.

ВСТРЕЧА СО СТРАШИЛОЙ И ЖЕЛЕЗНЫМ ДРОВОСЕКОМ

— Мы недаром претерпели столько страху, — радостно молвил Чарли Блек. — Ход действительно привёл в тюремную башню.

— Руби дверь, дядя Чарли, — сказала Элли.

— Нельзя, — возразил моряк. — Нас услышат.

Снаружи доносились басистая речь деревянного капрала и визгливые голоса полицейских.

Проделать проход надо было бесшумно. У Чарли нужные инструменты были под рукой. Он просверлил рядом несколько отверстий, расширил дырку клинком ножа и заработал пилкой. Через полчаса было выпилено квадратное отверстие, через которое мог пройти человек.

— Элли, — сказал моряк, — осторожно поднимись на площадку и скажи Страшиле и Дровосеку, что мы ждём их здесь. Но пусть они спускаются так, чтобы не увидела стража.

— А как же Дин Гиор и Фарамант? — спросила девочка. — Весь гнев Урфина Джюса обрушится на них, если Страшила и Железный Дровосек скроются.

Моряк Чарли сконфуженно почесал в затылке.

— В самом деле, я об этом не подумал. Что ты предлагаешь, Элли?

— Мне кажется, Страшила и Дровосек должны ещё немного потерпеть на постылой башне, пока мы не найдём способа выручить из тюрьмы наших верных товарищей. Но как это сделать — я не знаю. Может быть, Страшила что-нибудь сообразит?

— Ты права, девочка! И хотя мне трудно подниматься по лестницам, придётся устроить общий совет.

Элли медленно взбиралась по крутым ступенькам, а за ней в темноте ковылял Чарли Блек, постукивая деревяшкой. Льва пришлось оставить внизу: дыра в двери была слишком мала для его огромного тела.

Вот и люк, ведущий на площадку. Девочка осторожно высунула голову, приложив палец к губам: она боялась, как бы друзья, увидев её, не закричали от радости.

Её опасения были напрасны. Железный Дровосек умел владеть собой, а Страшиле сидение в карцере досталось дорого. От сырости подземелья краски полиняли на его лице, и он плохо видел и слышал, а разговаривать мог только шёпотом. В данном положении это, впрочем, было кстати.

Увидев Элли, Дровосек и Страшила ринулись было к ней, но, заметив позади моряка, остановились. Они знали Чарли Блека по рассказам вороны, и всё же ими овладело смущение.

Чарли дружески приветствовал новых знакомых. В ответ Страшила шаркнул соломенной ножкой, а Дровосек снял с железной головы воронку и очень вежливо раскланялся.

Чёрные глазки Кагги-Карр так и сияли от гордости: ведь она, ворона, выполнила такое поручение, с которым вряд ли справился бы кто-нибудь другой.

После горячих приветствий Элли заговорила о судьбе Дина Гиора и Фараманта.

— Вы сейчас можете уйти с нами через подземный ход, но им тогда несдобровать, — разъяснила девочка.

Дровосек сказал:

— Если они из-за нас погибнут, моё сердце разорвётся от горя...

Он заплакал, слёзы скатились на челюсти, и они сразу заржавели. Дровосек отчаянно замотал головой, не в силах сказать слово. К счастью, маслёнка была у его пояса. Страшила хотел смазать челюсти, но сослепу попал Дровосеку в ухо. Нескоро удалось ему сделать всё как следует, и тогда Дровосек заговорил:

— Страшила, пусти в ход свои мудрые мозги, придумай что-нибудь!

Страшила грустно прошептал:

— С моими мудрыми мозгами что-то неладно. Они отсырели, пока я висел в карцере...

В разговор вмешалась Кагги-Карр:

— Фарамант и Дин Гиор сидят в подвале на заднем дворе. К их окну есть ход из каморки повара.

— Так это же превосходно! — воскликнул Чарли Блек и испуганно прикрыл себе рот рукой. — У меня есть вещь, которая принесёт узникам освобождение. Весь вопрос в том, как её передать...

Он порылся в рюкзаке и вытащил стальную пилу.

— Этой пилой можно перепилить любую решётку.

— Да, но как её доставить туда? — прошептал Страшила. — Ах, если бы не испортились мои мудрые мозги... А сейчас мне ничего нейдёт в голову, и от этого мне очень плохо...

Элли бросилась к Страшиле, начала гладить его, утешая:

— Мой славный, не надо огорчаться, за тебя буду думать я!

Наступило томительное молчание. Чтобы попасть во дворец и увидеть узников хотя бы через решётку окна, надо было выйти из тюремной башни. Но дверь, ведущая наружу, охранялась дуболомами, а другой ход шёл через подземную пещеру, где бродил Шестилапый.

Кто решится пройти там один?

Положение казалось безвыходным. Неужели придётся бросить Фараманта и Дина Гиора на расправу жестокому Урфину?

Кагги-Карр встрепенулась.

— Я снесу узникам пилу, — воскликнула она. — Меня не удержат ни стены, ни решётки.

Предложение вороны показалось очень хорошим, но — увы! — Кагги-Карр не могла удержать в клюве пилу. Инструмент был слишком тяжёл, он перетягивал голову вороны вниз, а потом выскальзывал из клюва. Все опять призадумались.

Вдруг Элли подняла палец, призывая к вниманию.

— Я придумала, — сказала она, и все радостно встрепенулись. — Дядя Чарли, ты спустишь меня отсюда на верёвке.

— С ума ты сошла, девочка, — проворчал моряк. — Сразу попасться в лапы охраны?

— Да нет же, дядя Чарли, — возразила Элли. — Дуболомы сторожат только ту сторону, где дверь, а на другую не обращают никакого внимания. Посмотри сам!

— Но почему именно ты? — спросил он. — Разве не может отправиться кто-нибудь из нас?

— А КТО? Не ты же, не Страшила и не Железный Дровосек. Да вам и не пролезть между прутьями решётки! — торжествующе закончила девочка.

В рюкзаке Элли хранилось платье, подаренное ей доброй женой Према Кокуса. Элли была ростом со взрослых женщин Волшебной страны, и платье как раз пришлось ей впору. Оно было не голубое, а зелёное, потому что жена Кокуса была родом из Изумрудной страны и не потеряла любви к зелёному цвету.

Элли переоделась. Чарли Блек достал из своего универсального рюкзака кисточку и чёрную тушь, провёл морщинки по её лбу, щекам, подбородку, и через три минуты перед ним стояла пожилая фермерша Изумрудной страны.

— Клянусь пальмами Куру-Кусу! — воскликнул Чарли. — Тебя не узнает ни один шпион в мире... Но подожди! Тебе нужен предлог, чтобы идти в город.

— А я уже придумала предлог, не беспокойся!

Моряк опоясал Элли под мышками широкой лямкой, а к лямке привязал хорошую бечёвку. Элли взяла корзинку и протиснулась между прутьями, поддерживавшими кровлю.

Дровосек караулил противоположную сторону: никто из дуболомов не собирался отправиться обходом вокруг башни.

Моряк медленно спускал Элли, а та упиралась руками в изрытый непогодами и временем бок башни. Наконец она коснулась ногами земли.

Смелая девочка сбросила лямку, которую моряк тотчас втянул наверх, послала дяде воздушный поцелуй и неторопливо пошла к дороге.

Чарли Блек следил за ней с бьющимся сердцем и успокоился лишь тогда, когда Элли достигла дороги, вымощенной жёлтым кирпичом, и помахала ему рукой.

Элли не сразу пошла в город. Свернув на полянку, она набрала корзинку прекрасных крупных ягод, а драгоценную пилку спрятала на самое дно. После этого она двинулась в путь и смело постучалась в городские ворота. Корзинка с ягодами, собранными будто бы для Урфина Джюса, послужила ей пропуском.

Элли шла по улицам, когда-то блиставшим изумрудами и переполненным нарядной толпой. Как теперь здесь было пусто, и угрюмо, и скучно!

Во дворце ей показали, как пройти на кухню. Толстяк Балуоль не узнал Элли в её новом виде, а узнав, страшно обрадовался.

Элли просидела в его каморке до ночи, а потом повар провёл её к окну камеры, где были заключены Дин Гиор и Фарамант. Окно, к счастью, оказалось незастеклённым. Элли начала звать спящих. Добудиться их оказалось не так-то легко, потому что люди с чистой совестью спят крепко даже на тюремной койке. Первым проснулся Фарамант, он растолкал Дина Гиора.

Друзья страшно обрадовались, узнав, что свобода явилась к ним в виде Элли со стальной пилкой. Тюремщик находился в коридоре за дверью, мешать было некому, и заключённые, вставая поочерёдно один другому на спину, заработали пилкой. Через десять минут прутья решётки были перепилены.

Первым вылез Дин Гиор, опираясь на спину Фараманта. Но как выбраться Стражу Ворот, если в камере не было ни стола, ни стула, а железные кровати крепко привинчены к полу и на них ни простыней, ни одеял?

— Как же быть? — шептал Дин Гиор, наклоняясь к окну. — Никакой верёвки...

— Никакой верёвки! — насмешливо повторил Фарамант. — Эх ты, борода! Про свою бороду забыл!

— А ведь и вправду я про бороду забыл! — обрадованно согласился Дин Гиор.

Он опустил пышную бороду в окно, и Страж Ворот, вцепившись в её пряди и упираясь ногами в стену, полез наверх. Дин Гиор заскрипел зубами от напряжения, но выдержал. И оба друга бросились горячо обнимать свою спасительницу Элли.

Повар вывел компанию через заднюю калитку в ограде дворца, и все трое оказались на улице. Выйти обычным путём из города было невозможно, так как ворота зорко охранялись дуболомами и полицией. Пришлось перебраться через стену. Зайдя на одну из окрестных ферм, Фарамант пошептался с хозяином, и после разговора тот отправил двух своих молодых быстроногих сыновей на северо-запад, а сам пошёл к соседу.

Встреча всех друзей была назначена в овраге, где начинался подземный ход. Туда и повела Элли освобождённых ею пленников.

Когда девочка и её спутники поравнялись с башней, Фарамант трижды крикнул совой, а Элли помахала корзинкой. Это был сигнал, что предприятие удалось и оставшиеся на площадке друзья могут покинуть её. В ответ донесся крик кукушки: сигнал услышан и понят!

Элли, Дин Гиор и Фарамант явились к месту свидания первыми, счастливо избежав встречи с дуболомами и полицейскими.

Утром Руфу Билану стало известно об исчезновении сразу четырёх пленников. По его приказу свора полицейских пустилась на поиски. Они рыскали по фермам вблизи города и допрашивали людей. Сверх ожиданий те оказались словоохотливыми и рассказали поимщикам, что беглецы рано утром прошли на северо-запад, очевидно, рассчитывая найти убежище в Жёлтой стране.

Два взвода дуболомов и три десятка полицейских отправились в указанном направлении. Солдаты мчались по твёрдой дороге, громыхая ногами, налетая друг на друга, падая. Полицейские стреляли камнями из рогаток в придорожные кусты, едва только замечали там малейшее движение.

Время от времени начальник полиции, который сам возглавлял погоню, забегал в придорожные домики и расспрашивал про беглецов. Заранее подученные гонцами Фараманта, обитатели домиков отвечали:

— Они прошли здесь три часа назад... два часа назад... час назад...

Рвение преследователей возрастало, им казалось, что добыча уже близка. Но они пробегали милю за милей, а дорога впереди по-прежнему оставалась пустынной.

Полицейские окончательно рассвирепели, впереди них со свистом неслась туча камней, выпущенных из рогаток. А потом случилось вот что: начальник полиции вырвался вперёд, и ошалелые подчинённые, приняв своего начальника за беглеца, осыпали его таким градом увесистых осколков кирпича, что переломали ему руки и ноги, отбили голову.

Подбежав к упавшему с криками торжества, полицейские и дуболомы вдруг остановились. Что делать дальше? Они не знали, а приказывать было некому.

Собрав обломки своего командира, отряд вернулся в столицу. Один из полицейских доложил главному государственному распорядителю о том, что произошло. Руф Билан побледнел от ужаса. До того он ещё надеялся, что беглецов поймают и тогда происшествие можно будет скрыть от короля.

Теперь приходилось сознаться, что пленники, которыми так дорожил Урфин Джюс, вырвались на свободу. Больше того, погиб начальник полиции, которого правитель очень ценил за усердие и ловкость.

Выслушав доклад, Урфин угрюмо промолвил:

— Не сомневаюсь, что это штучки проклятой девчонки, маленькой феи Элли. И беглецы скрылись?

— Бесследно, могущественный Король Изумрудного...

— Короче! — рявкнул обозлённый Джюс.

— Слушаюсь! Хуже всего то, что преследователей, как видно, направили по ложному пути. Это был целый заговор.

Начальника полиции Урфин восстанавливать не стал, и повар Балуоль бросил его останки в плиту: они горели очень жарко.

Удостоверившись, что Элли освободила Дина Гиора и Фараманта, Чарли Блек повёл порученную ему компанию вниз. Все старались как можно меньше шуметь. Железный Дровосек с трудом протиснулся сквозь узкую дыру в двери, а ослабевшего Страшилу протащили, окончательно помяв его кафтан. Лев встретил друзей после долгой разлуки с восторгом. Вид Страшилы, слабого, почти ослепшего и оглохшего, расстроил Льва до слёз.

Но тратить время на излияния нежных чувств не приходилось, надо было спешить. Дровосек на всякий случай вооружился крепкой железной полосой, которую выломал из лестничных перил.

Приближаясь к окну в царство подземных рудокопов, Чарли Блек предупредил спутников об осторожности. Кто знает, может быть, страж, летающий на драконе, дожидается появления дерзких соглядатаев, чтобы пустить в них меткую стрелу. Но, войдя на площадку, откуда он и Элли ещё вчера увидели картину странной чужой жизни, моряк ахнул от изумления: окно было наглухо заделано. Рудокопы так плотно вбили в него круглый кусок скалы, что не осталось ни единой щёлки.

Шестилапого в пещере не оказалось: то ли он отлёживался в лабиринте скалистых коридоров после вчерашнего боя, то ли здесь успели побывать подземные рудокопы и поймали зверя.

А сколько еще других Шестилапых могло таиться во мраке обширного подземелья?

Но теперь моряк не боялся встречи со зверем: Железный Дровосек живо расправился бы с ним. Чарли Блек опасался другого: не устроили бы рудокопы засады на их пути. Он только тогда вздохнул свободно, когда в рассвете раннего утра увидел Элли, Дина Гиора и Фараманта.

Прежде чем предпринимать что бы то ни было, следовало заняться Страшилой. С ним дело обстояло очень плохо. Одежда свергнутого правителя порвалась, из дырок лезла сопревшая, свалявшаяся солома. Черты лица почти изгладились, и скверно было с мозгами: сырость подвала оказала на них вредное действие.

Элли принялась за дело. Она сняла со Страшилы голову и повесила сушить на высокой ветке, где её обдувало ветерком и грело жарким солнышком. Она заштопала одежду Страшилы, выстирала её в ручейке и развесила по кустам.

Когда всё было готово, Элли набила кафтан, штаны и сапоги свежей соломой, которую Фарамант принёс с соседнего поля, прикрепила голову с просохшими мозгами. Затем достала краски, кисточку и начала рисовать глаза. Глаза тотчас замигали, заулыбались...

— Всё испортишь! — сердито закричала Элли.

— ...его, — прошептал Страшила. — ...ай...рее...от!

Это означало: «Ничего, давай скорее рот!» Наконец рот тоже был готов. Радостный Страшила пустился в пляс.

— Эй-гей-гей-го! Элли опять спасла меня! Я снова-снова-снова с Элли! Эй-гей-гей-го! Я снова-снова...

Тут вдруг Страшила спохватился, что он теряет своё достоинство правителя, танцуя в присутствии подданных, и боязливо взглянул на Дина Гиора и Фараманта. Но те деликатно отвернулись и сделали вид, что поглощены серьёзным разговором. Страшила вздохнул с облегчением.

Общее веселье ещё увеличилось, когда моряк Чарли преподнёс Страшиле превосходную трость из красного дерева. Он успел сделать её, пока Элли «лечила» Страшилу.

Страшила опёрся на трость, выпятил соломенную грудь и важно заговорил:

— Друзья мои! Страшила мудр по-прежнему, и вот вам доказательство: у меня в голове появились великие мысли. Для борьбы с Урфином у нас нет оружия, и сделать его могут только Мигуны. Но Мигуны живут в Фиолетовой стране, а Фиолетовая страна — не Изумрудная. И я полагаю так, что, когда ты находишься в одной стране, в другой тебя в это время нет. Какой же из всего этого вывод? Мы должны отправиться в Фиолетовую страну!

Дружные аплодисменты были ответом на замечательную речь Страшилы, Лев одобрительно зарычал, а Тотошка громко залаял.

ПОБЕДА

НА ВОСТОК!

Энкин Флед, наместник страны Мигунов, был толстый человек с рыжими жёсткими волосами, торчавшими во все стороны как мочалка. Он явился в страну со взводом фиолетовых солдат и капралом Ельведом и легко подчинил её, потому что хотя Мигуны и славились как искусные кузнецы и слесари, но воинственного духа у них было ещё меньше, чем у Жевунов.

Заняв Фиолетовый дворец, Энкин Флед выгнал из него всю прислугу, обитавшую там ещё со времён Бастинды, и оставил только кухарку Фрегозу. Она хорошо готовила, а наместник любил поесть.

В стране Мигунов у Фледа обнаружилось непреодолимое пристрастие к оружию. Он не мог равнодушно пройти мимо какого-нибудь кинжала или шпаги. Поселившись в Фиолетовом дворце, наместник приказал населению сдать все мечи, кинжалы и ножи, вплоть до кухонных. Такой приказ Энкин Флед отдал ещё и потому, что боялся восстания и хотел разоружить народ.

Мечей у Мигунов не оказалось, но среди сданного железного хлама наместник увидел два старинных кинжала чудесной работы. Блеск стали и удивительно тонкая резьба на рукоятках очаровали Энкина Фледа, и он велел привести к себе мастеров.

— Откуда это? — спросил Флед, показывая кинжалы.

— Сохранились с давних времён, когда ещё в нашей стране велись войны, — ответил старший из мастеров.

— А вы можете сделать такие кинжалы?

— Делали работы и потруднее, — сказал мастер. — Мы починяли нашего правителя, господина Дровосека, а у него очень сложный механизм. Только зачем вам кинжалы, мясо удобнее резать обыкновенным ножом.

Энкин Флед не терпел противоречий.

— Не рассуждать! — закричал он и затопал ногами, и Мигуны от испуга замигали быстрее обычного. — Сделать пять, нет — десять таких кинжалов, и чтобы у всех резьба была разная. Сроку — неделя. Если не успеете... ну, тогда узнаете, что значит иметь дело с Энкином Фледом!

Мастера забросили всякую работу и сделали кинжалы. Флед развесил их на стене большой дворцовой залы, на фоне ковра, и зрелище ему очень понравилось. Но наместник решил, что оно будет более внушительным, если число кинжалов увеличить.

С тех пор мастерам не было покоя. Им пришлось делать кинжалы, мечи, сабли, шпаги... Наместник целые дни проводил в зале, размещая коллекцию оружия то так, то этак... Взяв в руки меч или кинжал, толстый и коротконогий Флед фехтовал, воображая, что сражается с волшебником или страшным чудовищем. В действительности он побоялся бы напасть даже на овцу и чувствовал себя в безопасности только под защитой свирепых дуболомов.

* * *

Элли и её друзья направлялись на восток. Путь их пролегал по тем самым местам, где они в прошлом году совершали поход на Бастинду. Теперь они шли на нового врага, на Энкина Фледа с его дуболомами.

Армия освободителей пока состояла всего из двух бойцов: Железного Дровосека и Смелого Льва. Но никто не посмел бы отрицать, что эти двое стоили многих

189

и многих обыкновенных солдат, не наделённых такой храбростью и силой.

Итак, армия бодро продвигалась на восток, преодолевая каменистое плоскогорье, отделявшее Изумрудную страну от страны Мигунов.

Железный Дровосек с удовольствием прислушивался, как у него в груди бьётся при каждом шаге сердце, а Страшила решал в уме арифметические примеры, которые по его просьбе задавала ему Элли.

Наконец они пришли к тому месту, где кончалась дорога, пролагавшаяся Железным Дровосеком к Изумрудному городу. Здесь несколько месяцев назад нашла Дровосека Кагги-Карр, явившаяся вестницей от Страшилы, и здесь валялся молот, брошенный Дровосеком, когда он поспешил на помощь другу. Молот никому не был нужен, да его и не смог бы никто поднять, кроме Железного Дровосека.

Дровосек схватил молот, описал им круг над головой и со свистом рассёк воздух.

Все ахнули и присели.

— Силёнка ещё есть, — добродушно молвил Дровосек.

— Пусть поберегутся дуболомы! — сердито сказал Страшила.

УЛЬТИМАТУМ

Здесь, где начиналась дорога к Фиолетовому дворцу, армия решила остановиться перед началом боевых действий.

Кагги-Карр хотела было послать на разведку хилого воробья, клевавшего поблизости зёрнышки, но не решилась доверить ему такое ответственное дело.

— Полечу сама, — сказала она. — Лично выясню, сколько войска прислал сюда Урфин Джюс.

Она собралась лететь, но произведённый Страшилой в фельдмаршалы Дин Гиор задержал её.

— Надо отправить врагам вызов, — сказал он, расчёсывая гребешком длинную бороду.

— Лучше напасть внезапно, — возразила Кагги-Карр. — Внезапность часто решает исход боя.

— Фельдмаршал прав, — вмешался Страшила. — Лучше вызвать неприятеля в поле, иначе он может запереться во дворце, а осада — не такое простое дело, я это знаю по опыту.

— А если Энкин Флед не выйдет сражаться в поле? — спросил начальник штаба Чарли Блек.

— Мы напишем такое письмо, что он выйдет, — заверил фельдмаршал. — Я знаю этого Флэда: он страшно самолюбивый человек.

И вот главнокомандующий и его помощники принялись составлять вызов. Они долго рассуждали и спорили, наконец письмо было написано на бумаге, которая нашлась у Чарли Блека, и Кагги-Карр полетела с письмом в клюве.

Энкин Флед в сотый раз переустраивал свою коллекцию оружия, когда к нему вошла кухарка Фрегоза.

— Господин наместник, — сказала она, — там к вам прела... парле... перла-турман!

— Кто? — заорал потревоженный Флед.

— Ну, я не знаю, — попятилась Фрегоза. — В общем вас хотят видеть...

— Впустить! — приказал наместник и на всякий случай вооружился острым кинжалом.

Дверь открылась, и в залу важно вошла ворона. Энкина Фледа одолел смех.

— Это ты и есть... тот перал... мантур?

— Прошу прощения, — строго ответила Кагги-Карр, взлетев на стол и опуская возле себя письмо. — Я к вам парламентёром от главнокомандующего Дина Гиора.

Слушая ясную и связную речь вороны, Энкин Флед остолбенел. Он так изумился, что даже начал обращаться к вороне на «вы»:

— Но вы... послушайте, я ничего не понимаю! Какой главнокомандующий Дин Гиор? Я знаю только армию моего повелителя, могущественного Короля Урфина Первого, а ею командует генерал Лан Пирот!

— Прочитайте этот ультиматум, и вы всё поймёте, — холодно возразила Кагги-Карр и взлетела на шкаф, на всякий случай подальше от наместника.

Энкин Флед развернул бумагу, начал читать и побагровел. Бумага гласила:

УЛЬТИМАТУМ

Мы, правитель Изумрудного города Страшила Мудрый и главнокомандующий освободительной армией фельдмаршал Дин Гиор, настоящим предлагаем вам, Энкину Фледу, наместнику так называемого Короля Урфина Первого, разоружить ваших солдат и сдать без боя Фиолетовый дворец. В этом случае ваше наказание за измену родине ограничится лишь тем, что вы в течение десяти лет будете дробить камень и мостить дороги в стране Мигунов. Если вы не примете это крайне выгод-

192

ное для вас предложение, выходите сражаться в поле. И хотя мы можем выставить против ваших сил одного-единственного бойца, мы всё же уверены в победе, так как боремся за свободу против вашего самозваного повелителя, так называемого Короля Урфина.

**За Страшилу Мудрого и фельдмаршала Дина Гиора
подписал Чарли Блек.**

Прочитав послание, Энкин Флед долго и насмешливо хохотал:

— Армия! Из одного бойца. Один солдат и куча начальников! И они ещё думают победить меня, наместника его величества могущественного Короля Урфина Первого! Они имеют нахальство предлагать мне, Энкину Фледу, сдаться и пойти мостить дороги! Ха-ха-ха! Эй вы, ламантерпёр! Скажите пославшим вас, что я выйду сражаться в открытом поле, и разобью их, и возьму в плен, и самих заставлю дробить камень!

Кагги-Карр только того и надо было. Она моментально покинула дворец, а наместник вызвал капрала Ельведа и приказал ему построить взвод к бою.

Железный Дровосек ждал врагов на обширной площадке в миле от Фиолетового дворца. Он стоял один, в свободной позе, опустив молот к ноге, и казался не очень грозным противником. Элли с Тотошкой, Страшила, Чарли Блек, Дин Гиор и Фарамант стояли поодаль мирной безоружной группой, только у моряка было наготове лассо.

Смелый Лев спрятался за камнем, его шерсть сливалась с жёлтым песком, и его нельзя было разглядеть. Он был в засаде на случай какого-либо коварства со стороны Энкина Фледа. Послышались звуки шагов.

«Топ-топ-топ!» — грохотали по твёрдой земле деревянные ступни дуболомов.

Солдаты увидели одинокого противника, и их свирепые рожи загорелись торжеством, а глаза из пурпурового стекла кровожадно блестели. Перед взводом шагал рослый краснолицый капрал Ельвед, а сзади всех шёл Энкин Флед, наместник, с мечом в одной руке и кинжалом в другой.

ОДИН ПРОТИВ ОДИННАДЦАТИ

Кухарка Фрегоза подслушала разговор наместника с вороной, весть о том, что дуболомы Урфина Джюса будут сражаться с бойцом освободительной армии, мгновенно разнеслась по окрестностям. За громадными камнями, окружавшими площадку, прятались Мигуны и Мигуньи; отовсюду выглядывали часто мигавшие глаза, с любовью глядевшие на Дровосека, их бывшего правителя.

Энкин Флед тоже узнал Железного Дровосека, и по спине наместника пробежал холодок. Он знал силу Дровосека, но всё-таки рассчитывал на победу. Во-первых, у Дровосека не было его топора, во-вторых, он был один против одиннадцати.

Противники сошлись. Ельвед приказал своим солдатам окружить Дровосека и поражать его дубинками, а сам остался позади.

Началась ожесточённая битва. Дубинки ударяли о железное тело Дровосека, и от них получались вмятины на спине, груди, руках. Но эти удары, хотя и опасные, не были смертельными для Дровосека. Зато удары его страшного молота дробили дубовые головы его противников, разбивали на куски их сосновые туловища. Только десять точных ударов нанёс врагам Железный Дровосек, и на месте взвода дуболомов лежала груда деревянного лома, годного только в печку для растопки.

Но последний солдат перед тем, как рухнуть на землю, нанёс дубиной в грудь Дровосека такой сильный удар, что у него отлетела заплатка, сделанная Гудвином, когда тот вставлял Дровосеку сердце. Дровосек зашатался, и видно было, как болтается внутри красное шёлковое сердце. Прежде чем Железный Дровосек опомнился, к нему подкрался сзади капрал Ельвед, который уцелел, так как ещё не вступил в битву. Краснолицый капрал подхватил с земли дубину и нанёс ужасный удар в спину Дровосеку. Сердце сорвалось и вылетело на песок, спина Дровосека надломилась, он рухнул, успев только прошептать: «Сердце, моё сердце!»

Капрал Ельвед издал торжествующий рёв, которому вторили злобные вопли Энкина Фледа.

— Бей его! — кричал Флед. — Расправься со Страшилой! Убей фельдмаршала! Хватай девчонку, она — фея, она у них самая главная!

Страшила, Чарли Блек и остальные выступили вперёд, защищая своими телами девочку. Из засады выскочил Лев, но он был слишком далеко от места боя. Кагги-Карр заметалась перед краснолицым капралом, пытаясь остановить его, — напрасно. Он нёсся, свирепый и страшный, размахивая тяжёлой дубиной.

И в этот момент из-за большого камня стрелой вылетел маленький человек по имени Лестар, лучший мастер страны Мигунов, и бросился под ноги Ельведу. Тот с разбегу шлёпнулся и покатился по земле, но быстро вскочил и уже готов был опустить дубину на голову самоотверженного мастера. Однако в этот момент свистнуло лассо, петля охватила руки Ельведа. Чарли Блек, Фарамант и Дин Гиор дёрнули аркан, и краснолицый капрал тяжело свалился на песок. И тут из-за камней посыпались десятки Мигунов и Мигуний, до того лишь взволнованных свидетелей битвы. Они грудой навалились на капрала, отобрали оружие, связали его арканом. Другие набросились на Энкина Фледа, вырвали у него меч и кинжал, которыми он, впрочем, и не пытался воспользоваться.

С владычеством Урфина Джюса в стране Мигунов было покончено.

Над головами наместника и капрала поднялись тяжёлые камни.

— Не надо, — сказал Страшила. — Мы будем судить их.

А Энкин Флед, бледный, дрожащий, упал на колени.

— Там... в этом вашем ультиматуме... сказано... — запинаясь, бормотал он, — если сдамся... десять лет... мостить дороги... я сдаюсь... сдаюсь!..

— Презренный предатель! — сказал Дин Гиор. — Ты дважды изменник! Первый раз ты изменил своему народу, когда пошёл на службу к тирану. А второй раз сегодня, когда после честной битвы замыслил подлое убийство безоружных людей. Я думаю, ты не отделаешься мощением дорог. Увести пленников.

И их увели.

Тем временем Элли со слезами на глазах хлопотала около безжизненного Дровосека. Она, впрочем, не впала в отчаяние, так как

знала, что Мигуны, искусные мастера, восстановили её друга, когда он был в ещё худшем состоянии. Она подобрала шёлковое сердце, бережно сдула с него песок и спрятала до того момента, когда оно понадобится.

Чарли Блек склонился над Дровосеком.

— Клянусь людоедами Куру-Кусу и всеми их тремя тысячами триста тридцатью тремя богами, этот парень сражался как герой! Неужели с ним всё покончено?

— Нет, что вы! — ответил Лестар, тот мастер, который бросился под ноги капралу. — Мы уже имеем опыт в починке господина правителя. Три дня работы, и он будет как новенький... Конечно, если не затеряны какие-нибудь части, — добавил он. — Тогда ремонт потребует больше времени.

Ликующая толпа Мигунов проводила до дворца свою Фею Спасительной Воды. Дорогой они мигали так отчаянно, что из глаз у них покатились крупные слёзы и они почти ничего не стали видеть. И при этом они похвалялись, что данную в честь феи клятву умываться трижды в день они соблюдали с величайшей добросовестностью, даже в тяжёлые дни правления Энкина Фледа. Наверно, это и помогло им избавиться от врагов!

ВОССТАНОВЛЕНИЕ ЖЕЛЕЗНОГО ДРОВОСЕКА

Добрая Фрегоза по-матерински приласкала Элли. Во дворце она повела её в ванную комнату и вымыла в огромной ванне, которой никогда не пользовались ни Бастинда, смертельно боявшаяся воды, ни Железный Дровосек — по той же причине. Фрегоза выстирала запылённое платье девочки и ленточку.

Тотошка, тоже вымытый кухаркой, с расчёсанной шелковистой шёрсткой, пил из блюдца молоко, которого не пробовал после ухода из страны Жевунов.

Элли рассказывала доброй женщине про свои приключения, и Фрегоза слушала её, удивляясь в душе тому, что Фея Спасительной Воды походит на обыкновенную маленькую девочку и любит ласку, как все маленькие девочки.

— Вы, Мигуны, добрый народ, вы очень дружно живёте.

— Да, мы живём дружно, — согласилась Фрегоза. — Тем, кого выгнал наместник, люди даже хотели построить дома, но теперь они, конечно, вернутся сюда, где привыкли жить, и снова станут ухаживать за нашим правителем. Хотя, — вздохнула кухарка, — господин правитель совсем не нуждается в уходе. Он не ест и не пьёт, ему не надо стирать бельё, и он разве в кои-то веки попросит масла для маслёнки.

Следующие дни прошли в нетерпеливом ожидании, когда будет исправлен Железный Дровосек.

И вот настал счастливый момент, когда сияющий Железный Дровосек вновь предстал перед друзьями. Он действительно сиял, потому что Мигуны опять отполировали его до невыносимого блеска. Дровосек опирался на огромный топор с золотым топорищем, и у его пояса висела золотая маслёнка с лучшим очищенным маслом.

Мастера сделали ему новый топор с золотой рукояткой и золотую маслёнку. Больше того, они приготовили для Страшилы великолепную трость с золотым набалдашником, ещё более роскошную, чем прошлогодняя, которую Страшила утопил во время наводнения, путешествуя к волшебнице Стелле. Страшиле жаль было расстаться с тростью из красного дерева, подарком Чарли Блека, и он решил ходить, опираясь сразу на две трости. Но это было очень неудобно, Страшила то и дело спотыкался и иногда даже падал.

Выход подсказала Элли. Она посоветовала Страшиле ходить с тростями поочерёдно, один день с подарком моряка, другой — с подарком Мигунов.

— Как я сам не додумался до такой простой вещи, — огорчился Страшила.

— У тебя просто не было времени, — утешила его Элли.

Тотошке Мигуны выковали новый чудесный золотой ошейник. Самые удивительные подарки получила Элли. Это были серебряные башмачки и золотая шапка, точь-в-точь такие же, какие были у девочки год назад, с той лишь маленькой разницей, что эти вещи были не волшебные. Но тут уже ничего нельзя было поделать — ведь Мигуны не умели колдовать.

Элли была страшно рада этим подаркам и тотчас надела башмачки и шапку.

Известно, что добрые Мигуны питали большое пристрастие к красивым и блестящим вещам. Они не позабыли одарить и своих новых знакомцев. Чарли Блеку они сделали золотую искусственную ногу вместо его уже изношенной деревяшки, Дину Гиору — золотую расчёску для бороды и фельдмаршальский жезл с золотыми украшениями, а Фараманту преподнесли карандаш в золотой оправе и книжечку в золотом переплёте для записей по снабжению армии. Кагги-Карр получила изящные золотые колечки на лапки.

Моряк отказался от золотой ноги: уж слишком тяжело было таскать её, да и она быстро истёрлась бы о камни, ведь золото — мягкий металл. Взамен Чарли попросил сделать деревянную, только покрепче. И тогда мастера выточили ему ногу из железного дерева, о которой сказали, что ей износа не будет.

Дин Гиор и Фарамант своими подарками остались очень довольны. Дин Гиор сказал, что ему для дополнения к высокому чину фельдмаршала только и не хватало жезла, а борода у него уже есть, и притом такая, какой не отращивал ни один фельдмаршал на свете.

Страшила весело приплясывал вокруг воскрешённого Дровосека и пел:

— Эй-гей-гей-го! Железный Дровосек снова-снова-снова с нами! Эй-гей-гей-го!

Он не боялся уронить свой авторитет правителя, потому что Мигуны были не его подданными.

Элли гладила Дровосека. Глядя на эту трогательную сцену, Лев прослезился и, вытирая слёзы кисточкой хвоста, промочил её. Ему пришлось бежать на задний двор сушить кисточку на солнышке.

Через несколько дней Элли, Чарли Блек и их друзья собрались на совет. Пригласили и нескольких Мигунов. Надо было подумать, как быть дальше, как разгромить деревянную армию Урфина.

Мигуны, которые сняли со стены коллекцию Энкина Фледа, предлагали использовать холодное оружие — мечи, кинжалы, пики.

— Я думаю, эти вещи нам очень пригодятся, когда мы пойдем войной на Урфина Джюса, — сказал Дин Гиор, расчёсывая бороду золотым гребешком.

— Да позволено мне будет высказать своё мнение, — скромно начал Лестар. — Мечи и кинжалы пригодны, когда между собой воюют настоящие люди. Какой прок от того, что вы ткнёте мечом в сосновое полено? Мне кажется, наиболее пригодным вооружением против армии Урфина Джюса будут топоры на длинных рукоятках и колотушки, которые я предложил бы сделать в виде железных шаров с шипами, насаженных на прочные древки. Для дубовых голов такое оружие будет очень опасным.

— Браво, браво!

Все члены совета выразили своё одобрение.

Страшила напряг свою умную голову и важно сказал:

— Дерево горит в огне! У Урфина Джюса солдаты деревянные. Значит, их можно сжигать!

Все были поражены мудростью Страшилы. Лестару поручили придумать приспособление, с помощью которого можно будет бросать огонь в деревянных солдат. Это должна быть большая пушка, стреляющая огнём. Но как стрелять огнём — этого пока никто не знал.

ПОСЛЕДНИЕ СОЛДАТЫ УРФИНА ДЖЮСА

Пока Дин Гиор и Чарли Блек готовили Мигунов к походу на самозваного Короля Урфина Первого, в Изумрудной стране тоже назревало восстание против него. Здесь, где в городе и окрестностях беспрестанно патрулировали деревянные солдаты и полицейские, невозможно было открыто организовать освободительную армию. Дело велось втайне, собирались по ночам, где-нибудь в поле или роще.

Узнав о том, что в стране появилась Элли, Урфин Джюс всю свою энергию употребил на выпуск новых деревянных солдат, более рослых и сильных, более свирепых, чем прежние. Ещё несколько солдат из первых выпусков под руководством ефрейторов сделались столярами, и работа в мастерской кипела круглые сутки.

Урфин Джюс теперь не гнался за внешней отделкой своих воинов. Он следил лишь за гибкостью сочленений, за тем, чтобы ноги и руки хорошо вращались на шарнирах и пальцы цепко держали оружие; а туловище представляло грубо отёсанный чурбан, который даже не окрашивали за недостатком времени.

За собой Урфин оставил отделку лица, потому что его столяры при всём своём желании не могли придать им такого свирепого выражения, какое требовал король. А так как ежедневно выпускалось три-четыре солдата, не считая капралов, требовавших более тонкой работы, то Урфин Джюс изнемогал.

Ему удавалось спать ежедневно всего два-три часа, часто он засыпал у верстака, и резец падал из его рук. Урфин почернел и высох, щёки ввалились и стали похожи на тёмные провалы, глаза ещё глубже ушли в орбиты под чёрными сросшимися бровями. Вид диктатора был и страшен, и жалок, и советники боязливо сторонились его, когда он ненадолго показывался и торопливо проходил по дворцовым залам.

Число деревянных солдат подходило к двумстам, когда случилась неожиданная и страшная вещь.

Перед Урфином Джюсом на полу его секретной мастерской лежал ровным строем новый деревянный взвод с капралом из красного дерева на правом фланге. Привычным жестом Урфин засунул руку во флягу с живительным порошком... и внутри его всё похолодело. На дне пустой фляги он нащупал лишь тонкий слой порошка!

Вне себя от страха, Урфин Джюс опрокинул флягу над верстаком: из фляги высыпалась порция, достаточная для оживления одного солдата, а фляга была последняя. Как безумный Джюс колотил по дну фляги, стараясь выбить оттуда то, чего там не было. Он бросился к другим флягам, вытрясал их, но оттуда падали жалкие крупинки.

Всё кончено! Урфин Джюс истратил волшебное вещество, дававшее ему власть над вещами и людьми, и отныне в его распоряжении лишь та сила, которую он успел создать...

Увлечённый изготовлением всё новых и новых взводов деревянных солдат, он черпал порошок горсть за горстью, и фляги безотказно снабжали его волшебным снадобьем. Урфину Джюсу стало представляться, что его запасы неисчерпаемы.

И вот пришла расплата за это заблуждение. Но прошлого не воротишь. Урфин решил попробовать остатками порошка оживить десять солдат и капрала — последнее пополнение своей деревянной армии. Он аккуратно разделил снадобье на одиннадцать частей и посыпал им лежавшие фигуры.

Как и обычно, порошок с лёгким шипением задымился и всосался в дерево. Урфин ждал. Но прошло десять минут, пятнадцать... Дуболомы слабо зашевелились, слегка заворочали стеклянными глазами. Ещё через десять минут капрал, которому, по обычаю, досталось немного больше порошка, попытался встать и не смог. Урфин помог ему, капрал с трудом поднялся и стоял, качаясь на ногах.

Маленькие порции порошка оказались недостаточными, чтобы вдохнуть жизнь в рослые деревянные фигуры.

Через пятнадцать минут кое-как поднялись и солдаты. Урфин выстроил их; они стали неровным качающимся строем, хватаясь один за другого.

К двери мастерской солдаты шли полтора часа. Чтобы перейти просторный двор, им, вероятно, пришлось бы потратить сутки.

Урфин Джюс не стал этого проверять. Вызвав ефрейтора, король распорядился, указывая на еле шевелившихся дуболомов:

— В печку!

Таков был конец последнего взвода деревянной армии Урфина Джюса.

ПОБЕДА

После бегства пленников прошло несколько недель. Быстроногие полицейские, посланные на разведку в Фиолетовую страну, вернулись с тревожными известиями. Прокрадываясь по ночам, затаиваясь за камнями и в оврагах, подслушивая разговоры, они узнали, что на Урфина Джюса скоро выступит войско из нескольких сот Мигунов под предводительством Страшилы, Железного Дровосека, Длиннобородого Солдата Дина Гиора и загадочного Великана — Деревянная Нога. Подготовка к походу идёт вовсю, готовится какое-то особенное оружие, Мигуны учатся военному строю под руководством Дина Гиора.

Урфин Джюс был настолько измучен беспокойством, что ему показалось невозможным откладывать решение своей судьбы. Он призвал к себе главного государственного распорядителя Руфа Билана и генерала Лана Пирота.

— Я решил повести мою армию в поход! — заявил он. — Пора показать этим мятежникам, кто повелитель Волшебной страны!

Главный государственный распорядитель побледнел. Он первым расспрашивал разведчиков и знал о положении дел намного больше того, что счёл нужным сообщить королю. Руф Билан понимал, что выступать навстречу неприятелю было очень опасно, и осторожно начал:

— Могущественный король, повелитель...

— Без титулов!

— Слушаюсь! Противник очень силён, и не лучше ли нам будет запереться в стенах города...

— Жалкий трус! — взревел Лан Пирот, свирепо вращая глазами. — Моя храбрая армия разгромит любого врага!

— Молодец! — одобрил Урфин. — Учитесь храбрости у генерала, Руф Билан!

— Но я узнал, что у Дина Гиора...

— Ма-ал-чать! Как вы ко мне обращаетесь? Где мои титулы? Или я уж больше не король?

Окончательно сбитый с толку, Руф Билан замолчал, и выступление было решено. Дуболомов наскоро почистили щётками от пыли,

204

генерал сказал им краткое воинственное слово, и армия в составе ста шестидесяти трёх солдат, семнадцати капралов и палисандрового генерала тронулась на восток. Солдаты громко топали деревянными ногами по кирпичам дороги, размахивали дубинками и корчили свирепые гримасы. Урфин Джюс ехал сбоку колонны на спине верного медведя Топотуна.

Переночевали в поле. Солдаты и капралы простояли всю ночь в строю, таращa в темноту бессонные глаза. Урфин Джюс провёл ночь очень плохо и проснулся совершенно разбитый. Его одолевали недобрые предчувствия, но отступать было уже поздно.

Встреча произошла на обширном поле Изумрудной страны, ограниченном с запада несколькими фермами. Ещё издали Урфин Джюс увидал фиолетовую полосу, которая всё росла и ширилась. Это было войско Мигунов. Впереди шёл, ковыляя, Великан — Деревянная Нога, за ним девчонка, Пугало, Железный Дровосек, маленький чёрный зверёк и Лев, который свирепо бил себя по бокам хвостом с кисточкой на конце. Рядом с Мигунами шагали Длиннобородый Солдат и Страж Ворот.

Урфину Джюсу стало не по себе. Ему захотелось, чтобы всё, что произошло с ним с той ночи, когда ураган принёс в его огород семена неизвестного растения, оказалось дурным сном и чтобы он проснулся в своём мирном домике, с крыльца которого виднелись величавые снежные горы...

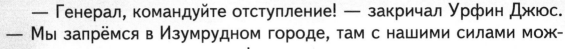

— Генерал, командуйте отступление! — закричал Урфин Джюс. — Мы запрёмся в Изумрудном городе, там с нашими силами можно долго выдерживать осаду!

— Направо, кругом! — скомандовал Лан Пирот, и его команду повторили капралы.

Деревянное войско повернулось, и... Урфина Джюса затрясла лихорадка. Из-за зелёных домиков и изгородей, сливаясь с зеленью трав и кустарников, выходили толпами восставшие жители Изумрудной страны.

Горожане и фермеры, вооружённые заступами, вилами, косами и просто кольями и жердями, выдернутыми из изгородей, лавиной затопляли поле. Отступать было некуда!

В это время передняя цепь Мигунов расступилась, и вперёд выкатили огромную пушку, которую высверлили из толстого бревна умельцы-оружейники Лестара.

Дуболомы замерли от неожиданности. Генерал Лан Пирот разинул рот, но ничего сказать не успел.

Пушка начала дрожать, потом затряслась всё сильнее и сильнее и наконец выстрелила, выпустив громадный столб дыма. На головы дуболомов медленно полетели горящие тряпки, солома, мусор.

Оружейники Лестара с криками повалились на землю. Порох, составленный по рецепту Чарли Блека, оказался слишком сильным, пушка треснула после первого же выстрела. Впрочем, одного выстрела оказалось достаточно. Армия Урфина Джюса в ужасе бросилась врассыпную. Сам генерал мчался быстрее всех, не разбирая дороги и закрывая руками свою полированную голову: ведь он теперь знал, что такое огонь!

Мигуны воспользовались паникой противника и кинулись ловить бросивших оружие дуболомов. Каждого дуболома Мигуны аккуратно связывали по рукам и ногам и складывали в поленницу.

Урфин Джюс решил спасаться бегством.

— Топотун! Быстрее назад, в Изумрудный город! — крикнул он, но в эту минуту Чарли Блек бросил лассо, и петля прочно захлестнула туловище бывшего короля.

Джюс кубарем покатился по земле, а Топотун, сразу потеряв воинственный пыл, стал на задние лапы и смиренно ждал, пока к нему подойдут Мигуны.

Чарли приблизился к Урфину.

— Эх, приятель, сколько добра ты мог сделать со своим порошком! — сказал Блек.

Урфин злобно смотрел на него и молчал. Мигуны и жители Изумрудной страны обнимались, поздравляли друг друга с победой, плясали, пели песни.

Завидев Страшилу, горожане и фермеры бросились к нему, схватили, подняли на руках высоко над толпой.

Загремели приветственные возгласы:

— Да здравствует наш правитель, Страшила Мудрый! Слава правителю Изумрудного города!

Страшила Мудрый, крепко держа в руках трость, гордо раскланивался во все стороны.

Он был в новом костюме, Мигуны сделали ему новую широкополую шляпу с золотыми бубенчиками, и правитель Изумрудного города предстал перед своими подданными в полном параде.

Так же горячо, как Страшилу, чествовали Железного Дровосека. Все знали, что он по первому зову явился на помощь другу и мужественно переносил с ним тяготы тюремного заключения, что он, не жалея себя, дрался с солдатами Энкина Фледа и освободил страну Мигунов. И наконец, он был такой неотразимо блестящий в сверкающей воронке, со сверкающей золотой маслёнкой у пояса, со сверкающим огромным топором... Его попробовали тоже поднять, но это оказалось не под силу, и Дровосек шёл, улыбаясь и кланяясь, среди шумных обитателей Изумрудной страны, старавшихся протиснуться к нему поближе и хоть пальцем дотронуться до его блестящего тела.

Особенно восторженные толпы теснились вокруг Элли, сидевшей на спине Льва. Все знали, что эта девочка из-за высоких гор

и Великой пустыни — фея, которая во второй раз явилась в их страну, и не одна, а с дядей Чарли Блеком, моряком. Жители Волшебной страны не знали, кто такие моряки, потому что у них не было морей, но они составили о моряках наилучшее мнение по тому единственному их представителю, который так самоотверженно боролся против коварного Урфина Джюса.

Людям всё нравилось в Чарли Блеке: и его огромный рост, и загорелое лицо со смелыми широко расставленными глазами, и добрая улыбка, и даже деревянная нога. Впрочем, тут они пришли к ошибочному убеждению, решив, что все моряки — это люди с одной деревянной ногой.

Элли и Чарли Блека, шедшего рядом с ней, забрасывали цветами, им жали руки, женщины обнимали и целовали Элли, ничуть не боясь Смелого Льва.

Смелому Льву тоже досталась своя доля поздравлений и приветствий. Всем было известно, что он бросил своё лесное царство и по зову Элли совершил длинное путешествие в страну Жевунов, а по дороге чудом спасся от страшных саблезубых тигров. И он наравне с Элли и Чарли Блеком принимал большое участие в освобождении Страшилы и Дровосека из тюремной башни. Крохотные девочки шли рядом со Смелым Львом, вынимали из своих косичек ленточки и вплетали их в львиную гриву, так что она, в свою очередь, превратилась в тысячу косичек.

Народ чествовал Дина Гиора, Фараманта, Лестара. Вспоминали, как Дин Гиор и Фарамант храбро защищали ворота Изумрудного города против дуболомов Урфина Джюса; как маленький Лестар бросился под ноги свирепому капралу Ельведу, спасая от смерти Элли и её друзей...

Но едва ли не самые большие похвалы довелось выслушать Кагги-Карр. Ведь это она в прошлом году подала Страшиле мысль добыть мозги, без чего Изумрудный город не имел бы такого удивительного, единственного в мире правителя, набитого соломой. Это Кагги-Карр с великими опасностями совершила путешествие через горы и пустыни в никому не ведомый Канзас за Элли и её дядей, которые одни лишь могли сокрушить злодея Урфина Джюса.

Чествовали и Тотошку, потому что он совершил... Нет, он не совершил никаких подвигов, но он так любил свою маленькую хозяйку, так беззаветно готов был ради неё на любые опасности, что, конечно, заслужил свою долю ласки и похвал. Его передавали из рук в руки, им восхищались, гладили его мягкую шёрстку, и умные чёрные глаза Тотошки горели торжеством. Он ворчал про себя:

— Посмотрел бы на меня сейчас хвастунишка Гектор... Ручаюсь, ему никогда не дожить до таких почестей!

До вечера продолжалось народное гулянье — песни, пляски, игры. А вечером Мигуны отправились на родину. Железный Дровосек не пошёл с Мигунами. Он решил провести с Элли то время, которое она ещё пробудет в Волшебной стране.

Горожане и фермеры Изумрудной страны переночевали на поле и утром весёлой толпой двинулись обратно. Они вели обезоруженных деревянных солдат и полицейских.

Урфин Джюс шёл один, его не окружала стража, наоборот, люди сторонились его, и в этом кольце угрюмых лиц и ненавидящих взоров бывший диктатор чувствовал себя хуже, чем если бы его посадили в темницу.

Урфину не связали рук, ноги его были свободны, но куда он мог убежать в стране, где его ненавидел, казалось, каждый куст и каждый камень?..

СНОВА ЗЕЛЁНЫЕ ОЧКИ

Подходя к Изумрудному городу, Чарли Блек благодаря своему высокому росту первым увидел у его ворот небольшую кучку людей в странных позах. Подойдя поближе, все разглядели, что эти люди стоят на коленях, а потом узнали в них распорядителей и советников бывшего короля. Прослышав ещё накануне о разгроме армии Урфина Джюса, они решили добровольной сдачей и покаянием облегчить свою участь.

Теперь предатели стояли на коленях, в старых разодранных одеждах, низко склонив непокрытые головы, посыпанные пылью. Но среди них не было самого подлого предателя, Руфа Билана, который первым изменил родному городу, впустив в него врага.

Из расспросов выяснилось, что Руф Билан исчез ещё вечером. Мальчишки, игравшие у ворот, видели, как Билан пробежал по направлению к тюремной башне. Очевидно, он укрылся там.

Железный Дровосек, моряк Чарли и Лестар отправились туда в сопровождении толпы. На площадке и внутри башни бывшего королевского распорядителя не нашли. Но по клочкам одежды, зацепившимся за отверстие в двери, стало ясно, что изменник протиснулся в дыру и скрылся подземным ходом, который стал ему известен после того, как он расследовал дело о бегстве Страшилы и Дровосека.

— Я догоню его, — сказал Железный Дровосек, стукнув рукояткой топора об землю.

— Я с тобой, — сказал Чарли Блек.

— И я, — сказал Лестар.

Но Дровосек отказался от помощи.

Он пошёл знакомым ходом, которым они убегали из тюремной башни после освобождения.

Пройдя длинным коридором, Дровосек вступил в пещеру Шестилапого. Его железные шаги гулко зазвучали под скалистым сводом. И он, видевший в темноте, как и при свете, заметил, что впереди метнулась маленькая толстая фигура.

Слепой, безрассудный страх гнал вперёд Руфа Билана.

Дровосек, догоняя его, кричал:

— Вернись, безумный человек! Ты погибнешь там!

Но беглец свернул куда-то в сторону и исчез в лабиринтах узких каменных проходов. Дровосек искал его долго и безуспешно. Он пошёл назад, и с тех пор судьба Руфа Билана надолго осталась неизвестной.

Вместе с главным распорядителем дворец покинул филин Гуамоко. Он не ждал от победителей ничего для себя хорошего. В городе считали, что Гуамоко помогал Урфину Джюсу в его злых волшебствах, хотя в действительности Урфин за последние месяцы не обращался к филину за советами.

Сидя на плече Руфа Билана, Гуамоко брюзжал:

— Я всегда считал, что из этого человека не получится дельного злого волшебника. Откуда в тебе возьмётся зло, если ты не поедаешь ежедневно мышей, пауков, пиявок? Гингема в этом отношении была образцовая колдунья. А Урфин просто хвастун и пустоцвет...

Последовать за Биланом в тюремную башню Гуамоко отказался: он поднялся с его плеча и, тяжело взмахивая крыльями, полетел в соседний лес.

Там он поселился в дупле огромного дуба и потребовал от местных филинов и сов, чтобы они платили ему дань, иначе он, ученик Гингемы, нашлёт на них неслыханные беды. Испуганные птицы повиновались и стали исправно приносить Гуамоко мышей и птичек, а он в часы хорошего настроения собирал вокруг себя большую стаю слушателей и делился с ними богатыми воспоминаниями из своего колдовского прошлого.

Когда Железный Дровосек и остальные возвратились к воротам, их встретил знакомый всем, кроме Чарли Блека, но забытый блеск огромных изумрудов. Мастера-ювелиры, стоя на длинных лестницах и свешиваясь сверху в люльках, вставляли в ворота и стену драгоценные камни, извлечённые из кладовых дворца. Изумрудный город снова становился изумрудным!

Под аркой вошедших встретил Страж Ворот с зелёной сумочкой на боку.

— Прошу надеть зелёные очки! — строго сказал Фарамант, раскрывая сумочку, наполненную очками. — Без зелёных очков вход в Изумрудный город воспрещается — таков приказ Гудвина, Великого и Ужасного! Улетая к своему другу, великому волшебнику Солнцу, Гудвин предупредил нас, что жители города никогда не должны снимать зелёных очков и что нарушение этого закона повлечёт за собой великие бедствия. Закон был нарушен, и великие бедствия постигли нас!

Все безропотно надели очки. Надел их и Чарли Блек, и всё перед его глазами заискрилось, заиграло волшебными переливами самых разнообразных оттенков зелёной краски.

— Клянусь зубами дракона, — воскликнул восхищённый моряк, — теперь я верю Элли, которая рассказывала мне, что Изумрудный город — самый красивый город на свете!

Железный Дровосек и его друзья прошли по прохладным улицам, заполненным ликующим народом, и вышли на дворцовую площадь, где уже били сверкающие фонтаны.

Ров, окружавший дворец, был, как и в прежние времена, наполнен водой, и мост был поднят. И, как в былые времена, на стене стоял Дин Гиор и расчёсывал золотой гребёнкой свою роскошную бороду.

— Дин Гиор! — закричал Лестар. — Открой ворота!

Никакого ответа. Дин Гиор самозабвенно смотрелся в зеркальце и любовно расправлял пряди бороды.

— Дин Гиор! — закричали все пришедшие, а Железный Дровосек изо всей мочи заколотил топорищем по перилам оградки.

Дин Гиор ничего не слышал. Привлечённая шумом, из окна выпорхнула Кагги-Карр и крикнула в ухо фельдмаршалу:

— Очнись! Там внизу друзья!

Опомнившийся Дин Гиор взглянул вниз.

— А, это вы? — сказал он. — Я, кажется, немного отвлёкся...

Теперь, когда армия Джюса была разбита и Изумрудному городу больше не угрожала опасность, Длиннобородый Солдат снова стал прежним рассеянным чудаком.

Мост опустился, ворота раскрылись, и Железный Дровосек со своими спутниками вошёл в тронный зал дворца, где когда-то Гудвин Великий и Ужасный предстал перед ним в образе многорукого и многоглазого чудовища.

Сейчас на троне важно сидел Страшила, возле него стояла Элли в серебряных башмачках и золотой шапке, лежали Смелый Лев и Тотошка в блестящих золотых ошейниках, на спинке трона сидела Кагги-Карр.

По сторонам зала, пересмеиваясь и шушукаясь, толпились придворные — те, которые не пошли на службу к Урфину Джюсу.

Они теперь страшно гордились этим и выставляли на вид свою преданность Страшиле Мудрому, ожидая за это наград. Страшила сошёл с трона и сделал навстречу гостям пять шагов, что было воспринято придворными как знак величайшей милости с его стороны.

А потом в залу были внесены длинные столы, уставленные всевозможными напитками и кушаньями. Начался пир, весёлый и радостный, и продолжался он до самого вечера.

Жители ходили в нарядных костюмах, и время владычества Урфина Джюса казалось им тяжёлым сном.

Через несколько дней состоялся суд над Урфином Джюсом. Жители Изумрудной страны предлагали отправить его в рудники.

— Друзья, — сказал Чарли Блек, — а не лучше ли оставить этого человека просто наедине с самим собой?

— Правильно, — сказала Элли, — это будет самым тяжёлым наказанием для него, пусть он поживёт среди тех людей, которых хотел подчинить себе, пусть всё напоминает ему о его ужасных намерениях и делах.

— Элли, ты здорово сказала! — воскликнул Страшила. — Я с тобой согласен!

— И я, — сказал Железный Дровосек.

— И я, — сказал Смелый Лев.

— И я, — добавил Тотошка.

Кагги-Карр хотела что-то возразить, но в это время жители Изумрудной страны так громогласно закричали: «Ура! Да здравствуют Элли и её друзья!» — что ей пришлось промолчать.

А Урфин Джюс, освобождённый стражей, пошёл куда глаза глядят под свист и улюлюканье горожан и фермеров, в руках он держал деревянного клоуна Эота Линга, сзади плёлся Топотун. Это было всё, что осталось у свергнутого короля.

Теперь надо было решить, что делать с деревянными солдатами и полицейскими Урфина Джюса.

— Сжечь! — крикнула Кагги-Карр.

Страшила приложил палец ко лбу и попросил не мешать ему думать. Наступила всеобщая тишина.

После долгого размышления Страшила Мудрый сказал:

— Жечь их мы не будем, это не по-хозяйски. Надо сделать из дуболомов хороших работников на общую пользу. А дел у нас в стране много. Раз дуболомы деревянные, то они понимают больше всего толку в дереве. Так пусть они будут садовниками и лесниками! Уж они-то лучше всех будут ухаживать за деревьями! Хорошо бы ещё вставить им мозги, да жаль — у них не пустые головы.

Страшила сказал длинную речь и втайне был ею очень доволен.

Речь была выслушана с величайшим вниманием.

Железный Дровосек сказал:

— Надо поставить деревянным солдатам новые добрые сердца.

— Но ведь у них и сердец-то нет, — возразил Страшила.

— Тогда уж я и не знаю, как с ними быть, — огорчился Дровосек.

Страшила снова попросил время на размышление. На этот раз он думал больше часа и так напряжённо, что голова его страшно ощетинилась иголками и булавками. Толпа глядела на правителя с благоговейным ужасом.

И вот Страшила ударил себя по лбу.

— Я придумал! — воскликнул он, и площадь радостно ахнула. — Раз у деревянных солдат нет ни мозгов, ни сердца, значит, у них весь характер в лице. Урфин Джюс не зря вырезал им такие зверские рожи. Стоит сделать им весёлые, улыбающиеся лица, и они будут вести себя совсем по-другому.

Предложение Страшилы показалось дельным. Во всяком случае, стоило попробовать.

Опыт решили произвести над палисандровым генералом Ланом Пиротом. Его привели и поставили перед судейским столом.

— Послушайте, генерал, — обратился к нему Страшила. — Вы признаёте себя виновным за все те проступки, которые вы совершили?

— Нет, не признаю! — браво отчеканил генерал. — Я их совершал по приказу моего короля.

— А если вас отпустят и дадут вам солдат, что вы станете делать?

Генерал скорчил такую свирепую гримасу, что дети, стоявшие в толпе, испугались и заплакали, а Тотошка оглушительно гавкнул.

— Что я буду делать? — хрипло пробасил полководец. — Буду воевать, буду грабить — в этом вся моя жизнь!

— Увести его! — распорядился Страшила.

Генерала отвели в мастерскую дворца, где его уже ждал самый искусный резчик Изумрудного города. Работа продолжалась долго, часа три, но ни один человек не ушёл с площади, всем было интересно узнать, чем кончится этот удивительный опыт.

И вот с моста спустился весёлый, улыбающийся человек. Лана Пирота узнали в нём только по палисандровым узорам на голове.

Лан Пирот, пританцовывая, прошёл через расступившуюся толпу и остановился перед столом судейской коллегии.

— Вы, кажется, желали меня видеть? — звонким приятным голосом спросил он.

— Да, — сказал Страшила. — Кто вы такой?

— Кто я?.. Да, в самом деле, кто же я? Честное слово, не знаю...

Сменив лицо, Лан Пирот сменил и характер и начисто позабыл всё своё прошлое.

— Вас зовут Лан Пирот, — сказал Страшила.

— Ну конечно, меня зовут Лан Пирот, как я мог это позабыть!

— И вы — учитель танцев, — сказала Элли, которой очень понравились новые изящные манеры Лана Пирота.

— Да, да, я — учитель танцев! Где мои ученики? Где мои ученицы? О, как я тороплюсь дать им первый урок!

И Лан Пирот, напевая и приплясывая, устремился с площади, а за ним гурьбой побежали весёлые мальчишки и девчонки.

Когда страсти несколько улеглись, толпа единогласно вынесла решение присвоить Страшиле следующий титул: «Страшила, Трижды Премудрый правитель Изумрудного города».

Соломенный человек принял этот титул как должную дань его выдающемуся уму.

ЗАКЛЮЧЕНИЕ

Всех городских резчиков посадили за срочную работу. Страшила поручил им переделать свирепые физиономии бывших дуболомов Урфина Джюса в весёлые приветливые лица. Ведь только так можно было изменить воинственный характер деревянных людей.

С утра до вечера в мастерских шла работа. Она требовала большого умения и величайшей осторожности. Снимешь лишнюю стружку со щеки или лба, и получится чудище, у которого на уме будут одни убийства. Но недаром мастера Изумрудного города славились своим искусством. Когда капралы выстроили подчинённых в колонну, зрители пришли в восхищение. На них из рядов смотрели весёлые трудолюбивые работники. Их тут же отправили в страну Жевунов с наказом прежде всего истребить жестоких саблезубых тигров. И они успешно справились с этой задачей.

Пришёл для Элли и Чарли Блека час расставания с Изумрудным городом. Теперь, когда путь в страну Жевунов стал безопасен, следовало спешить домой.

Смелый Лев, Дровосек и Страшила завидовали крылатой Кагги-Карр, которая собралась сопровождать Элли до страны Жевунов и даже хотела снова проделать с ней переход через пустыню.

Шляпа правителя Изумрудного города была украшена большим изумрудом, который ему поднесли любящие подданные за большие заслуги перед страной. Страшила очень гордился этим подарком и часто, сняв шляпу, с удовольствием рассматривал изумруд своими нарисованными глазами.

— Элли, — сказал Страшила, — сними с верхушки моей шляпы этот блестящий камень.

Немного удивлённая, Элли вынула изумруд и протянула Страшиле.

— Нет, — сказал тот, — отдай его Великану из-за гор, и пусть это будет мой прощальный подарок другу.

Растроганный Чарли Блек не стал отказываться и бережно спрятал драгоценный камень.

Элли со слезами на глазах гладила милое разрисованное лицо Страшилы, обнимала холодное полированное тело Железного Дровосека, расчёсывала пальчиками гриву Смелого Льва и говорила дорогим друзьям ласковые прощальные слова. Она нежно простилась с Длиннобородым Солдатом Дином Гиором и в последний раз погладила его роскошную бороду.

Три правителя Волшебной страны обняли Элли и Тотошку и пожали руку Чарли Блеку. Моряк, Элли и Тотошка дружески распрощались со Стражем Ворот и сдали ему зелёные очки. Фарамант положил их в особое отделение шкафчика, сказав:

— Я буду хранить их до вашего возвращения.

— Ты думаешь, что мы вернёмся? — спросила Элли.

— Кто знает? — ответил Фарамант.

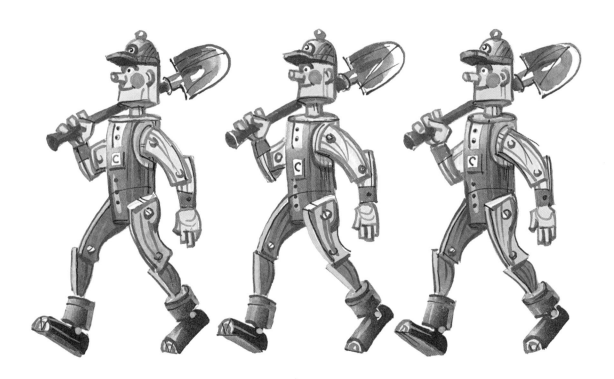

СОДЕРЖАНИЕ

Литературно-художественное издание
әдеби-көркемдік баспа

Для среднего школьного возраста
орта мектеп жасындағы балаларға арналған

ВОЛШЕБНИК ИЗУМРУДНОГО ГОРОДА

Волков Александр Мелентьевич

УРФИН ДЖЮС И ЕГО ДЕРЕВЯННЫЕ СОЛДАТЫ
(орыс тілінде)

Ответственный редактор *Л. Кондрашова*
Художественный редактор *И. Сауков*
Технический редактор *О. Кистерская*
Корректор *Д. Горобец*

ООО «Издательство «Эксмо»
123308, Россия, Москва, ул. Зорге, д. 1. Тел.: 8 (495) 411-68-86.
Home page: www.eksmo.ru   E-mail: info@eksmo.ru
Өндіруші: «ЭКСМО» АҚБ Баспасы, 123308, Мәскеу, Ресей, Зорге көшесі, 1 үй.
Тел.: 8 (495) 411-68-86.
Home page: www.eksmo.ru   E-mail: info@eksmo.ru
Тауар белгісі: «Эксмо»
Интернет-магазин : www.book24.ru
Интернет-магазин : www.book24.kz
Интернет-дүкен : www.book24.kz
Импортёр в Республику Казахстан ТОО «РДЦ-Алматы».
Қазақстан Республикасындағы импорттаушы «РДЦ-Алматы» ЖШС.
Дистрибьютор и представитель по приему претензий на продукцию,
в Республике Казахстан: ТОО «РДЦ-Алматы»
Қазақстан Республикасында дистрибьютор және өнім бойынша арыз-талаптарды
қабылдаушының өкілі «РДЦ-Алматы» ЖШС,
Алматы қ., Домбровский көш., 3«а», литер Б, офис 1.
Тел.: 8 (727) 251-59-90/91/92; E-mail: RDC-Almaty@eksmo.kz
Өнімнің жарамдылық мерзімі шектелмеген.
Сертификация туралы ақпарат сайтта: www.eksmo.ru/certification

Сведения о подтверждении соответствия издания согласно законодательству РФ
о техническом регулировании можно получить на сайте Издательства «Эксмо»
www.eksmo.ru/certification
Өндірген мемлекет: Ресей. Сертификация қарастырылған

Дата изготовления / Подписано в печать 03.06.2020. Формат 84х108 $^1/_{16}$.
Печать офсетная. Усл. печ. л. 23,52.
Доп. тираж 5000 экз. Заказ № ВЗК-03714-20.

Отпечатано в АО «Первая Образцовая типография»,
филиал «Дом печати — ВЯТКА»
610033, Россия, г. Киров, ул. Московская, 122.

ISBN 978-5-699-50584-5

eksmodetstvo
eksmo_kids
эксмодетство
eksmo_kids

Присоединяйтесь!
#эксмодетство

book 24.ru

Официальный
интернет-магазин
издательской группы
"ЭКСМО-АСТ"